Cómo leer música

Harry y Michael Baxter

Cómo leer música

Traducción de
Hugo Mariani

Si usted desea que le mantengamos informado de nuestras publicaciones, sólo tiene que remitirnos su nombre y dirección, indicando qué temas le interesan, y gustosamente complaceremos su petición.

Ediciones RobinBook
Información Bibliográfica
Aptdo. 94085 - 08080 Barcelona
E-Mail: robinbook@abadia.com

www.robinbook.com

Título original: *The right way to read music*

© 1993, Elliot Right Way Books.

© 1999, Ediciones RobinBook, S.L.
Aptdo. 94085 - 08080 Barcelona.
Diseño cubierta: Regina Richling.
ISBN: 84-7927-359-3
Depósito legal: B-6.408-1999.
Impreso por Limpergraf, c/ Mogoda, 29-31 (Pgno. Ind. Can Salvatella)
08210 Barberà del Vallès.

Impreso en España - *Printed in Spain*

dedicatoria

Los autores de este libro desean agradecer el trabajo que ha realizado la señorita Malenie Rae, cuya experiencia en el mundo editorial y antes como directora de música en su escuela, creemos, nos ha ayudado a hacer un libro apropiado para los estudiantes, el maestro y el uso en las escuelas.

nota de los autores

El propósito de este libro es proporcionar una comprensión del tema de la teoría de la música a los estudiantes y los melómanos. Con esta intención, y para ayudarlos a apreciar sus progresos, hay un grupo de preguntas al final de cada capítulo. Con ellas podrá para comprobar cuánto ha comprendido de su material. Éstas deberán responderse en un cuaderno de papel pautado, partes de las preguntas se pueden copiar si es necesario.

I

registro

La música se ocupa de los sonidos... de ciertos sonidos. Algunos son muy pesados y graves, otros ligeros y agudos. Todos los sonidos están provocados por algo que vibra, o sea, por un pequeño movimiento de vaivén. Algunas veces el movimiento es tan rápido que no podemos oírlo: un sonido muy agudo como, por ejemplo, un silbato para perros. Si oímos una nota muy grave en un órgano, algunas veces, podemos de hecho sentir que el suelo se mueve. La elevación o profundidad de un sonido se conoce como registro.

Si miramos las notas de un piano veremos que hay más de ochenta. No inventamos un nombre para cada una de las notas, sino que usamos siete, y los seguimos repitiendo desde la hasta sol. La, si, do, re, mi, fa, sol; la, si, do, re, mi, fa, sol; la, si, do, re, mi, fa, sol; etc.

Para mostrar estos sonidos en papel usamos un grupo de cinco líneas con cuatro espacios entremedio. Es el pentagrama.

Cada línea y cada espacio representan una nota. El nombre de la nota está señalado por el tipo de clave que aparece al comienzo del pentagrama.

Clave de sol

La clave de sol se usa para las notas agudas. Se llama así porque forma un rizo alrededor de la línea que representa la nota sol.

Ahora podemos determinar los nombres de todos los otros espacios y líneas.

Clave de fa

Para escribir notas con sonidos graves usamos la clave de fa. Se llama así porque forma una vuelta alrededor de esta línea en el pentagrama y los puntos van a ambos lados de dicha línea.

   o

Las notas en estas líneas y espacios son como sigue:

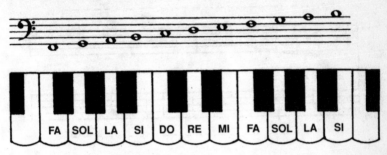

Algunas notas deben escribirse por encima o por debajo del pentagrama y tienen que usarse líneas cortas, llamadas líneas adicionales, para ampliar la extensión del pentagrama.

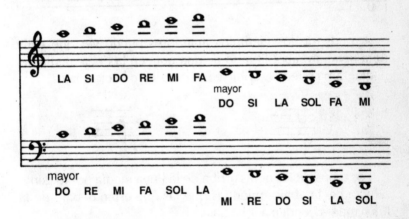

Para evitar que haya demasiadas líneas adicionales, se escribe el signo 8 u 8.ª arriba o abajo de la música seguido por una línea discontinua o continua. El signo deja de funcionar cuando aparece un ángulo recto _____ o _____ al final. El signo representa *ottava*, la palabra italiana para octava.

Escrito

Interpretado

A partir de los ejemplos anteriores puede ver que cada nota tiene un rabo. El rabo de una nota en la línea media del pentagrama puede escribirse hacia arriba o hacia abajo:

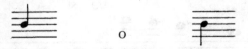

Los rabos de las notas arriba de la línea media por lo general van hacia abajo, mientras que las que están debajo de la línea media tienden a ir hacia arriba:

La música de piano utiliza dos pentagramas unidos con una llave. La música en el pentagrama superior por lo general se toca con la mano derecha y utiliza notas en la clave de sol, mientras que el pentagrama inferior se toca con la mano izquierda, puesto que la música en clave de fa está escrita en este pentagrama. Los dos pentagramas se hallan unidos por el do mayor.

Otras claves

Hay otras claves importantes. La primera, llamada clave de tenor, se encuentra con frecuencia en la música de violonchelo, fagot y trombón tenor y permite explotar la gama completa de estos instrumentos sin usar demasiadas líneas adicionales.

La segunda es la clave de contralto y la usa la viola.

En ambos casos, la línea que pasa por los dos brazos es do mayor. Es por esta razón que en ocasiones se hace referencia a ambas claves como claves de do.

Preguntas

1. (a) ¿Cuántos nombres diferentes usamos para señalar las notas?
   (b) ¿Cuáles son los nombres de las notas?
   (c) ¿Qué hacemos cuando llegamos al sol?

2. (a) ¿Cuántas líneas usamos para escribir notas?
   (b) ¿Cuántos espacios usamos?
   (c) ¿Cómo se llaman los grupos de líneas y espacios?

3. ¿Cómo denominamos al signo que nos dice los nombres de las notas?

4. ¿Cómo denominamos al signo que nos nombra las notas agudas?

5. Dibuje el signo correcto identificado en la pregunta 4, al comienzo de un grupo de cinco líneas y escriba los nombres dados a las notas en cada línea y espacio.

6. (a) ¿Cuál es el nombre de la nota abajo de re?
   (b) ¿Cuál es el nombre de la nota arriba de fa?
   (c) ¿Dónde se encuentra siempre el do en el teclado del piano?
   (d) ¿Dónde se encuentra siempre el fa en el teclado del piano?

7. ¿Cómo llamamos a la clave que usamos cuando escribimos sonidos graves?

8. Escriba, en un pentagrama, la clave que utilizamos para los sonidos graves. Luego escriba las notas mi y do mayor en una posición adecuada y la en dos posiciones.

9. (a) ¿Por qué llamamos al do mayor por este nombre?
   (b) Tras elegir la clave correcta, escriba:
       (i) el do mayor arriba de un pentagrama;
       (ii) el fa arriba de un pentagrama.

10. (a) ¿Qué es una línea adicional?
    (b) ¿Cuándo usamos una línea adicional?

(c) Si se necesita un montón de notas que requieren líneas adicionales, ¿qué alternativa existe para las líneas adicionales?

11. (a) En un pentagrama dibuje:

(i) la clave de contralto y el do mayor;

(ii) la clave de tenor y el do mayor.

(b) ¿Qué instrumentos usan estas claves?

(c) ¿Con qué otro nombre se hace a veces referencia a estas claves?

II
ritmo

Hemos aprendido que los sonidos pueden ser agudos o graves. A raíz de escuchar música sabemos que pueden ser intensos o suaves. También sabemos que algunos sonidos son largos y otros cortos. En música, cuando hablamos de la longitud del sonido, por lo general queremos decir cuántos ritmos contiene. La música está hecha de ritmos, y los ritmos están hechos de notas de diferentes longitudes.

Si escuchamos una cascada oímos un sonido continuo sin ritmo regular alguno. Si escuchamos un grifo que gotea oímos el ritmo regular del goteo del agua. O, si escuchamos el sonido de las ruedas durante un viaje en tren, descubriremos que cuando marcha a una velocidad regular hay una vibración definitiva, la uniformidad de la cual es muy capaz de hacernos dormir.

Podemos inventar toda clase de cálculos para cuadrar el tiempo del agua que gotea del grifo, un techo o el alféizar de una ventana. No podemos hacer ritmo alguno a partir del sonido de una cascada ni de algunos sonidos que son continuos. Los ruidos de las ruedas de un tren en movimiento son continuos pero no regulares: una vibración, un golpe. Algunas veces parecen estar diciéndonos cosas. Oímos la-la-la-la; la-la-la-la. Podrían estar diciéndonos «estamos acercándonos a casa; estamos acercándonos a casa». Algunas veces parecen decir la-di-da, la-di-da, o «¡vuelta al cole, vuelta al cole!».

Valores de las notas

En música podemos reconocer las longitudes de las diferentes notas a través de sus formas, o sabiendo si tienen rabos o rabos y vírgula, o si son sólo círculos o están llenas y son negras. Cada nota (que muestra un sonido) tiene su signo equivalente, llamado pausa (que muestra un silencio) para corresponder en valor.

Aquí está la lista de las notas que usamos en música. Comenzamos con un círculo, añadimos líneas llamadas rabos, llenamos la cabeza de la nota y añadimos más líneas llamadas vírgulas. Por supuesto, deberemos usar sólo unas cuantas de estas líneas e ir avanzando en el uso de las otras poco a poco. Tenga cuidado en aprender las pausas además de las notas. La nota de ritmo simple o pausa más común que usamos se llama negra. La tabla siguiente muestra el valor de cada nota y pausa como un múltiplo o una fracción de una negra.

Nota (sonido)	Nombre	Valor	Pausa (Silencio)
|o|	Breve	8	
o	Semibreve	4	

o sea, cuelga desde la segunda línea

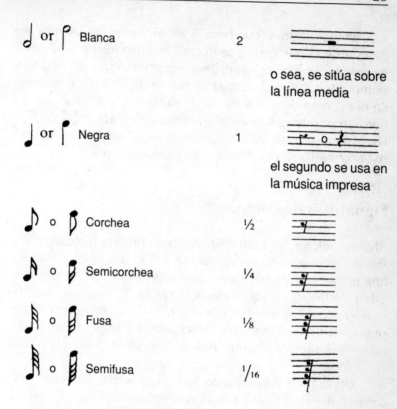

Cuando escribimos estas notas debemos recordar que el rabo se escribe hacia arriba si la nota está debajo de la línea media, y hacia abajo si la nota está arriba de la línea media. Si la nota está en la línea media, el rabo puede escribirse hacia arriba o hacia abajo.

La vírgula de una nota para un ritmo de corchea, o nota de valor más pequeño, siempre se escribe a la derecha del rabo.

Cuando usamos corcheas, casi siempre las unimos en pares. Esto es porque una gran cantidad de música tiene ritmo de corcheas: hay dos corcheas en cada ritmo de negra, y siempre agrupamos las notas en ritmos. Las corcheas se unen en el extremo de los rabos. Una corchea simple es ♪ o ♪, pero un par de corcheas (al hacer una negra) es ♫ o ♫. De manera similar, las semicorcheas (que tienen dos vírgulas) se unen mediante dos líneas, y así sucesivamente.

Signaturas de compás

Algunos relojes, ya sean de pared o de pulsera, producen un sonido regular, a menudo sesenta tics cada minuto. Ésta es una manera muy buena para comprender lo que estas notas están destinadas a significar. Contar los tictacs sugiere ritmos en dos. Un intenso UNO y un suave dos y tres hace ritmos en tres. Usar grupos de cuatro tics sugiere ritmos en cuatro. El ritmo uniforme del reloj permite toda clase de variaciones.

Cuando los soldados marchan, «izquierda, derecha» les permite llevar el paso. Gritar «uno, dos» tendría el mismo efecto. Éste es un buen ejemplo de un ritmo uniforme.

Usted verá que la nota más larga que usamos es una breve. Tiene dos veces la longitud de una semibreve. Si pensamos en la duración de una breve o, su equivalencia, ocho ritmos, una semibreve equivaldrá a cuatro ritmos. Una blanca equivaldrá sólo a dos ritmos, y una negra sólo a un ritmo.

Las barras dibujadas de una parte a otra del pentagrama dividen la música en compases. Éstos dividen la música en partes iguales, cada compás tiene el mismo número de ritmos que todos los otros en la música.

Para que quede bien claro cuántos ritmos quiere un compositor en cada compás, y a qué equivale cada ritmo, se escriben dos números, uno arriba del otro, al comienzo de la música. El número superior manifiesta cuántos ritmos hay en cada compás. El número inferior nos dice a qué equivale cada ritmo. Estos números se llaman *signatura de compás*.

Puesto que la breve se usa muy raras veces, la semibreve puede considerarse la nota entera. En número inferior de la signatura de compás manifiesta qué parte de una semibreve, o nota entera, es un ritmo.

Dos, como el número inferior muestra, el ritmo es la mitad de una semibreve: una blanca.

Cuatro, como el número inferior muestra, el ritmo es un cuarto de una semibreve: una negra.

Ocho, como el número inferior muestra, el ritmo es una octava de una semibreve: una corchea; y así sucesivamente.

Dos ritmos en cada compás, cada uno es una negra.

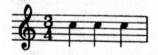

Tres ritmos en cada compás, cada uno es una negra.

Cuatro ritmos en cada compás, cada uno es una negra.

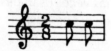

Dos ritmos en cada compás, cada uno es una corchea.

Tres ritmos en cada compás, cada uno es una corchea.

 Cuatro ritmos en cada compás, cada uno es una corchea.

 Dos ritmos en cada compás, cada uno es una blanca.

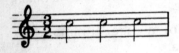 Tres ritmos en cada compás, cada uno es una blanca.

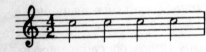 Cuatro ritmos en cada compás, cada uno es una blanca.

Todas estas signaturas de compás tienen dos números. Los números inferiores de todas estas signaturas de compás han mostrado ritmos que podemos dividir por dos, cuatro u ocho. Ritmos de blanca = dos negras, cuatro corcheas, etc. Estas signaturas de compás se llaman signaturas de compás simple.

Algunas veces usamos una C mayúscula para mostrar un ritmo de cuatro negras en cada compás. $\frac{4}{4}$ es la signatura de compás usada con más frecuencia y se conoce como compás simple. Cuando los ritmos son blancas, algunas veces usamos ¢, pero esto no nos dice cuántos ritmos hay en el compás.

Así **C** = $\frac{4}{4}$

¢ = ritmo de blanca: $\frac{2}{2}$ o $\frac{4}{2}$.

El signo ¢ se llama *alla breve* porque originalmente se usaba para mostrar que el ritmo era más breve que semibreve. Hoy en día nos dice que el ritmo es más una blanca que la más usual negra.

Las notas de menos valor que una negra siempre deben agruparse juntas para mostrar el valor de un ritmo. Hacemos esto uniéndolas en el extremo del rabo.

Pausas

Las notas que tienen menos valor que el ritmo y seguidas por un silencio (una pausa) deben tener una pausa, o pausas, para constituir el valor del ritmo.

En el primer compás tenemos la signatura de compás de cuatro ritmos en el compás, cada uno es una negra. Luego vienen cuatro ritmos simples. En el segundo compás tenemos una pausa. Ésta es una pausa de corchea, de modo que necesita el valor de medio ritmo para constituir la negra. Esto se logra convirtiendo la primera nota de este compás en una corchea. En el último compás, las dos corcheas hacen el primer ritmo de negra. Luego viene una corchea seguida de una pausa de corchea, lo que constituye el segundo ritmo. Por último, la blanca constituye los dos últimos ritmos.

Recuerde que los números deben ser uniformes y constantes. Advertirá que, con el fin de encajar un sonido entre los cuatro ritmos numerados antes, hemos usado una «&» (y). Esta «&» encaja exactamente entre los dos números. Imagine el tictac de un reloj adaptándose implacablemente a los números que usted cuenta.

También es posible usar una nota o pausa para varios ritmos donde deberíamos usar varias notas. Por ejemplo:

Si queremos silencio para los ritmos tres y cuatro en el primer compás escribiremos una pausa de blanca (dos ritmos) y no dos pausas de negra.

Si queremos una sola nota larga al comienzo, podemos escribir una blanca.

Por lo general podemos escribir una pausa (o nota) de ritmo de dos al comienzo de un compás, pero raramente en alguna otra parte. En un compás de (fig.), una pausa de ritmo de dos puede estar en los ritmos uno y dos o tres y cuatro, pero *nunca* en los ritmos dos y tres y esto debe considerarse una práctica peligrosa para los exámenes.

(a) y (b) son correctos; (c) es erróneo y debería escribirse usando dos negras. La razón para que no sea posible usar una blanca en el compás de (fig.) en los ritmos dos y tres es que siempre debería ser posible trazar una línea imaginaria abajo de la mitad del compás.

Es más seguro no escribir el modelo (c) anterior, sino usar una ligadura para unir las dos negras como un solo sonido. Una ligadura es una línea curva,

uniendo las dos notas en un sonido solo que dura su valor unido.

Una ligadura no puede usarse para unir pausas del mismo modo: las pausas son silencio, y el silencio sólo acaba cuando se produce un sonido y, por consiguiente, ¡es continuo hasta que se interrumpe!

Algunos ritmos están acentuados: son más intensos que otros ritmos y se llaman ritmos fuertes. Los otros ritmos del compás son ritmos débiles. La mayor parte de la música tiene el primer ritmo de un compás acentuado porque, sin esta pulsación o acento, tal música no produce una sensación rítmica.

En el compás triple (tres ritmos en el compás), el primer ritmo del compás es fuerte y los otros dos débiles. En el compás doble (dos ritmos en el compás) el primero del compás es fuerte y el segundo débil. En el compás cuádruple (cuatro ritmos en el compás) el primero del compás es fuerte, el segundo débil, el tercero medio y el último débil.

Usted advertirá que hay una doble barra de compás donde la signatura de compás cambia. Se puede usar una doble barra de compás en cualquier parte, para mostrar un cambio en la música o al final de la sección. Sin embargo, por lo general se usa al final de una sección o en la conclusión de la música. Una barra de compás libre en el medio de la música se ve así:

pero en la conclusión de la música la segunda línea es más gruesa, y se ve así:

Notas con puntillo

Tanto las notas como las pausas pueden alargarse añadiéndoles, inmediatamente después, un puntillo, o puntillos.

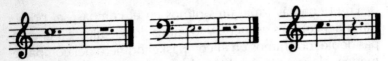

Una puntillo alarga el sonido (nota) o silencio (pausa) con la mitad del valor de la nota o pausa original. Así, una breve con puntillo equivale a seis negras. Una blanca con puntillo equivale a tres negras. Una negra con puntillo equivale a tres corcheas, y así sucesivamente.

Si añadimos dos puntillos después de una nota, o pausa, el sonido, o silencio, se alarga un cuarto más del valor de la nota o pausa original. En otras palabras, un segundo puntillo añade la mitad del valor del primer puntillo.

Preguntas

1. ¿Qué queremos decir con la longitud de un sonido?
2. ¿Qué significa la palabra «ritmo»?
3. (a) ¿Cómo mostramos las diferentes longitudes de las notas?
   (b) ¿Qué significa una pausa?
4. Escriba cada una de las siguientes notas o pausas:

   una semibreve   una blanca   una corchea
   una negra   una pausa de negra

5. Si una breve dura ocho ritmos:
   (i) ¿a cuántos ritmos equivaldría una negra?
   (ii) ¿a cuántos ritmos equivaldría una blanca?
   (iii) ¿a cuántos ritmos equivaldría una semibreve?
6. ¿Qué es una barra de compás y cómo se usa?
7. (a) ¿Qué es una signatura de compás?
   (b) ¿Que nos dice el número superior?
   (c) ¿Que nos dice el número inferior?
   (d) Si el número inferior es un 2, ¿qué significa?
   (e) Explique lo siguiente: $\frac{3}{2}$; $\frac{4}{2}$; $\frac{3}{8}$.
   (f) ¿Qué es una signatura de compás simple?
   (g) Dé tres ejemplos de una signatura de compás simple.
8. (a) ¿Qué significa la signatura de compás **C** ?
   (b) ¿Qué significa **C** ?
   (c) ¿Qué nombre damos al signo **¢** y cuándo se usa?
9. Corrija esto:

10. Añada las pausas necesarias para completar estos compases:

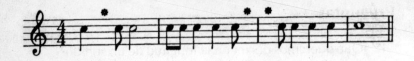

11. (a) ¿Qué significa la palabra acentuado?

(b) ¿Dónde encontramos por lo general un ritmo acentuado?

12. ¿Dónde aparecen los ritmos fuertes y débiles en los siguientes compases?

(i) compás cuádruple;

(ii) compás triple;

(iii) compás doble.

13. Muestre qué ritmos son fuertes, medios y débiles en los compases siguientes:

14. (a) ¿Qué es una doble barra de compás?

(b) ¿Cuándo usamos una?

15. Ésta es la melodía de *Twinkle, twinkle little star*. Vuelva a escribirla con el ritmo correcto. Sólo necesitará usar negras y blancas. La signatura de compás deberá ser $\frac{2}{4}$. Ponga las barras de compás.

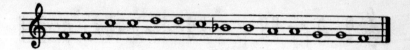

16. Escriba esta melodía y abajo los números que contaría para acompañarla con palmas.

17. Aprenda a acompañar con palmas los siguientes ritmos, cuente en voz alta si es necesario.

(i)

(ii)

(iii)

18. Escriba esto correctamente.

19. Complete estos compases con las pausas correctas donde se representa un asterisco.

20. Complete estos compases con pausas correctamente agrupadas.

21. Complete estos compases con notas correctamente agrupadas.

22. Escriba estos compases correctamente:

(i)

(ii)

23. (a) ¿Qué sucede cuando añadimos un puntillo después de una nota?

(b) ¿Cuántas negras igualan en longitud a una blanca con puntillo?

(c) Escriba lo siguiente por extenso:

24. Coloque barras de compás en lo siguiente:

(i)

(ii)

(iii)

(iv)

III

más acerca de la notación

Accidentales

Las teclas del piano está dispuestas en un modelo de notas blancas y negras. Las notas negras toman su nombre de las notas blancas. Una nota negra a la derecha de una nota blanca es más alta en registro y se identifica por el nombre de la blanca más la palabra «sostenido». De manera similar, una nota negra a la izquierda de una nota blanca es más baja en

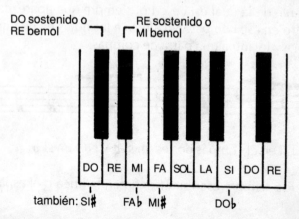

registro y se identifica por el nombre de la blanca más la palabra «bemol».

El mismo preceso puede aplicarse a cualquier nota contigua a una nota blanca, ¡incluso a otra nota blanca!

Por lo tanto, cada nota negra o blanca tiene dos nombres, el signo musical para un sostenido es ♯ y el signo para un bemol es ♭. Siempre aparecen delante de la nota cuando se escriben en un pentagrama (véase más atrás), pero después del nombre de la nota cuando se escribe en otra parte.

Para anular el sostenido o el bemol se usa un becuadro ♮.

Los sostenidos, los bemoles y los becuadros se llaman *accidentales* y el efecto de un accidental se aplica sólo a la nota delante de la cual está escrito, siempre que aparezca en ese registro *en ese compás*. No afecta a las notas en cualquier otra octava y lo anula una barra de compás.

El si en el compás dos es un si ♮ y NO un si ♭.

Recuerde siempre escribir el signo en la línea o el espacio correcto.

Intervalos

En el piano, la distancia más pequeña entre dos notas (o sea intervalo) se llama semitono. Do a do ♯ es un semitono, como lo es mi a fa. Estas notas están una junto a la otra. Entre do y re hay una nota negra y, por lo tanto, son dos semitonos separados o, como se llama más comúnmente, un tono separado. Fa a sol y fa ♯ a sol ♯ son también un tono separado.

Podemos hacer sonar los intervalos de dos maneras: uno después del otro, o juntos. Si los hacemos sonar uno después del otro, formamos una melodía, que, por esta razón se llama melódica; y se hacemos sonar intervalos juntos formamos un acorde o armonía, que se llama armónica.

Hay dos clases de semitonos; los que mantienen el mismo nombre de la nota, como do a do ♯, llamado semitono cromático, y los que tienen un nombre diferente de la nota, como do a re ♭, llamado semitono diatónico.

Usamos números para identificar los intervalos. Por ejemplo, do a re es una 2.ª porque están involucradas dos notas. Do a mi es una 3.ª porque se usan tres notas (do, re, mi).

Los accidentales no alteran el número del intervalo. Re a fa es siempre una 3.ª, cualesquiera sostenidos o bemoles se añadan a cualquier nota, re a fa, re ♭ a fa, re a fa ♯ y así sucesivamente son todas 3.ªs. Los accidentales simplemente alteran el *tipo* de intervalo. Hay cinco nombres para los diferentes tipos de intervalo. Estos nombres son:

Mayor	–2.ªs, 3.ªs, 6.ªs y 7.ªs;
Menor	–los intervalos mayores forman un semitono cromático más pequeño;

Perfecto   –4.as, 5.as y 8.as (u octava);

Disminuido –los intervalos menores o perfectos forman un semitono cromático más pequeño;

Aumentado –los intervalos menores o perfectos forman un semitono cromático más grande.

La escala

Si escribimos una sucesión de notas, cada una de ellas con un nombre diferente, creamos una escala. La escala de do tiene las notas do, re, mi, fa, sol, la, si y do. Obsérvese que acabamos con la misma nota con que comenzamos, pero ocho notas más alto. Este espacio de ocho notas se llama octava.

Si escribimos la escala de do encontramos que do a re es un tono, re a mi es un tono, mi a fa es un semitono, fa a sol es un tono, sol a la es un tono, la a si es un tono y si a do es un semitono. Esto constituye la escala de do mayor. Todas las escalas mayores tienen el modelo tono, tono, semitono, tono, tono, tono, semitono (por lo general se escribe TTS, TTTS) entre las notas.

Si desarrollamos una escala mayor en un teclado comenzando por una nota que no sea do debemos usar notas negras. Ahora podemos desarrollar las notas de las escalas comenzando por sol y re, debemos recordar que tenemos que usar el modelo TTS, TTTS.

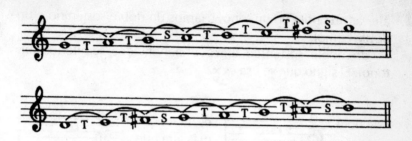

Examinemos los intervalos dentro de la escala de do mayor.

Do a re es una 2.ª mayor.
Do a mi es una 3.ª mayor.
Do a fa es una 4.ª perfecta.
Do a sol es una 5.ª perfecta.
Do a la es una 6.ª mayor.
Do a si es una 7.ª mayor.
Do a do es una octava perfecta, o unísono.

Se verá que los intervalos en una escala mayor son mayores o perfectos, según su valor numérico. Usamos la escala mayor como base a partir de la cual identificar el tipo de intervalo.

Más accidentales

Hemos aprendido que el sostenido, el bemol o el becuadro, altera cada uno una nota en un semitono. Cuando queremos alterar una nota en un tono, usamos un doble sostenido o un doble bemol.

Un doble sostenido eleva una nota dos semitonos (un tono). El signo que se usa es ✗.

Esta nota 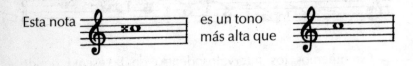 es un tono más alta que

Un doble bemol baja dos semitonos (un tono). Se escribe como dos bemoles (𝄫) juntos delante de la nota, incluso cuando la armadura tiene bemoles.

Esta nota 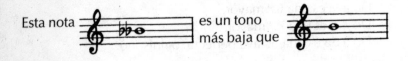 es un tono más baja que

Para anular el doble sostenido o el doble bemol y devolver a la nota su registro original necesitamos escribir un becuadro (para anular el primer sostenido o bemol) y un sostenido o bemol simple (véanse páginas 76-77). Para anular un doble accidental y quitar ambos sostenidos o ambos bemoles hay que usar dos becuadros.

Ya hemos encontrado varios ejemplos de un sonido que tiene dos nombres. Por ejemplo, do ♯ tiene el mismo sonido que re ♭, fa ♯ el mismo sonido que sol ♭, y así sucesivamente. Si estudiamos el diagrama siguiente veremos que hay tres nombres para cada nota excepto la ♭. No es necesario aprenderse todos estos nombres, pero debemos ser capaces de desssarrollarlos cuando sea necesario.

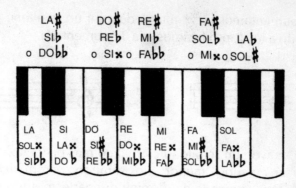

Este cambio sólo en el nombre se llama enarmónico. De modo que enarmónico significa dar a una nota o notas diferentes nombres sin cambiar el registro real.

Intervalos aumentados y disminuidos

Los intervalos mayores pueden hacerse más pequeños o más grandes en tamaño.

Si reducimos un intervalo mayor en un semitono cromático se convierte en menor. Do a mi, una 3.ª mayor, reducido a do a mi ♭ se convierte en una 3.ª menor.

Si además reducimos el intervalo menor a do a mi ♭♭ producimos una 3.ª disminuida.

Si aumentamos la 3.ª mayor do a mi un semitono cromático a do a mi ♯, producimos una 3.ª aumentada.

Así: mayor, un semitono cromático más pequeño, se convierte en menor; menor, un semitono cromático más pequeño, se convierte en disminuido; perfecto, un semitono cromático más pequeño, se convierte en disminuido; mayor, un semitono cromático más grande, se convierte en aumentado; menor, un semitono cromático más grande, se convierte en mayor; perfecto, un semitono cromático más grande, se convierte en aumentado.

Una explicación gráfica de esto podría ser:

	AUMENTADO		
↑	MAYOR	PERFECTA	↓
más grande	de menor	disminuido	más pequeño
	disminuido		

Hay seis semitonos en una 5.ª disminuida, y hay seis semitonos en una 4.ª aumentada. Seis medios tonos son lo mismo que tres tonos completos, y podemos llamar a los intervalos de una 5.ª disminuida y una 4.ª aumentada con el nombre de *tritono* («tri-» significa tres, como triángulo o triciclo). Un tritono es exactamente la mitad de una octava.

Inversiones

Podemos invertir intervalos por medio de convertir la nota más baja en la más alta.

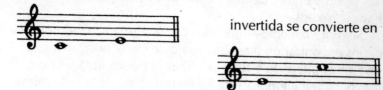

invertida se convierte en

Esto produce una clase de intervalo por completo diferente.

Así: los intervalos mayores se convierten en menores.

Los intervalos menores se convierten en mayores.

Los intervalos aumentados se convierten en disminuidos.

Los intervalos perfectos siguen siendo perfectos.

Los intervalos disminuidos se convierten en aumentados.

Los sonidos producidos por intervalos son concordancias o discordancias.

Las concordancias pueden ser perfectas o imperfectas. Son concordancias imperfectas la 3.ª y la 6.ª mayores y menores y son concordancias perfectas la 4.ª, la 5.ª y la octava.

Todos los demás intervalos son discordancias.

El hecho más importante que hay que recordar acerca de los intervalos se refiere a su tamaño. Puesto que el tamaño numérico de un intervalo está determinado por un número de nombres de notas entre la más baja y la más alta no podemos alterar la parte numérica de su descripción, cualesquiera que sean los accidentales involucrados, a menos que cambiemos en nombre de una nota. Así,

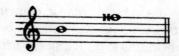

sigue siendo alguna clase de 5.ª porque hay cinco nombres de notas involucrados. El hecho de que el fa (fig.) sea enarmónicamente también la nota sol, no convierte este intervalo en una 6.ª. Si lo invertimos, por supuesto, se convierte en una 4.ª, porque entre cualquier clase de fa y cualquier clase de si hay cuatro notas.

Siempre hacemos intervalos *hacia arriba*. Cuando necesitamos encontrar un intervalo abajo de cierta nota, lo mejor es invertir el intervalo y luego escribir la nueva nota una escala más baja. Por ejemplo, una 3.ª menor abajo de la es lo mismo que una 6.ª mayor arriba, es decir, la ♯.

Si la nota más baja de cualquier intervalo no es la tónica (véase más adelante) de una escala mayor, un cambio enarmónico de ambas notas puede ayudar. Una 6.ª arriba de sol ♯ es enarmónicamente lo mismo que una 6.ª arriba de la ♭. Así, una 6.ª arriba de sol ♯ tiene que ser una clase de mi. No hay tonalidad mayor de sol ♯ (véase *Armaduras*, pág. 60), de modo que pensaremos que sol ♯ es la ♭ y una 6.ª mayor arriba de la ♭ es fa. Debemos convertir esto en una clase de mi, de modo que debe ser mi ♯.

Enarmónicamente las misma notas

LA ♭ = SOL
FA = MI ♯

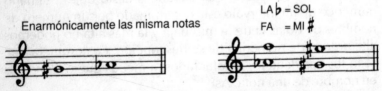

Otra manera usa la escala mayor, comenzando por la nota blanca de un teclado, con sostenidos y bajos. Por ejemplo, para encontrar el intervalo do ✗ a si: en la escala de do mayor, do a si es una 7.ª mayor; do ♯ a si es un semitono más pequeña, una 7.ª menor; do ✖ es un semitono más pequeño aún, una 7.ª disminuida.

Nombres técnicos de las notas

Cada nota o grado de una escala mayor tiene un nombre diferente. Esto significa que es una escala diatónica. Aparte de los nombres de las notas, cada grado de una escala diatónica tiene un nombre técnico. El primero (la nota tónica) se llama la *tónica*; el segundo, la *supertónica*; el tercero, la *mediante*; el cuarto, la *subdominante*; el quinto, la *dominante*; la sexta, la *submediante*; la séptima la *sensible*, y la octava, la *tónica*, de nuevo.

Puede ser de ayuda recordar los nombres de este modo:

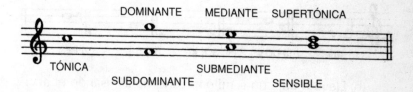

La dominante está una 5.ª arriba de la tónica, mientras que la subdominante está una 5.ª abajo de la tónica, de aquí el uso del prefijo «sub-». De manera similar, la mediante está una 3.ª arriba de la tónica y la submediante una 3.ª abajo.

Supertónica («super-» quiere decir *arriba*), significa una nota arriba de una tónica. La sensible nos lleva de nuevo a la tónica.

Preguntas

1. ¿Qué es un accidental?
2. ¿Altera un accidental alguna nota excepto la de delante de la cual está escrito?
3. (a) ¿Qué aspecto tiene un becuadro?
   (b) ¿Cuándo usamos un becuadro?
   (c) ¿Qué hace un bemol a una nota?
   (d) ¿Qué hace un sostenido a una nota?
4. ¿Cuánto dura el efecto de un sostenido, un bemol o un becuadro?
5. A partir de la siguiente lista, escriba:
   (i) las notas que están separadas un tono;
   (ii) las notas que están separadas un semitono:

   do a re   re a mi   mi a fa   fa a sol
   sol a la   la a si   si a do

6. a) ¿Cuáles de las siguientes notas tienen los nombres correctos?

   (i) MI♭   (ii) DO♯   (iii) SOL♯   (iv) SI♭   (v) RE♭

   (b) Eleve o baje un semitono estas notas usando el accidental correcto.

   Eleve   Baje   Eleve   Eleve   Baje

   Baje   Eleve   Baje   Baje   Baje

7. (a) ¿La nota marcada con un asterisco sería si♭ o si♮? ¿Por qué?

(b) ¿La nota marcada con un asterisco sería fa♯ o fa♮? ¿Por qué?

8. (a) ¿Qué es un intervalo melódico?
   (b) ¿Qué es un intervalo armónico?
9. (a) ¿Qué es un semitono cromático?
   (b) ¿Qué es un semitono diatónico?
   (c) Señale cuáles de éstos son semitonos cromáticos:

10. ¿Qué número describe cada uno de estos intervalos:

do a mi;   re a la;   fa a re;   sol a la;   do a si?

11. (a) ¿El accidental altera la parte numérica de un intervalo?
    (b) ¿Cómo afecta un accidental a un intervalo?
12. ¿Cómo describiría los siguientes intervalos?
    (i) 2.ªs, 3.ªs, 6.ªs, 7.ªs.
    (ii) Los intervalos mayores hacen un semitono cromático más pequeño.
    (iii) 4.ªs, 5.ªs, 8.ªs u octavas.
    (iv) Los intervalos menores o perfectos hacen un semitono cromático más pequeño.
    (v) Los intervalos mayores o perfectos hacen un semitono cromático más grande.

13. ¿Cuál es el signo para el doble sostenido, y qué significa?
14. ¿Cuál es el signo para el doble bemol, y qué significa?
15. (a) ¿Qué es un cambio enarmónico?
    (b) Cambie las notas siguientes enarmónicamente. Hay dos cambios para cada nota.

(i)   (ii)   (iii)

(iv)   (v)   (vi)

16. ¿De qué modo podemos alterar los intervalos mayores?
17. ¿Cuánto reducimos un intervalo mayor para convertirlo en uno menor?
18. Explique cómo se puede convertir un intervalo mayor en uno disminuido.
19. Explique cómo se puede convertir un intervalo mayor en uno aumentado.
20. (a) ¿Por qué mi a fa es una 2.ª menor?
    (b) ¿Por qué si a do es una 2.ª menor?
    (c) ¿Por qué re a fa es una 2.ª menor?
    (d) ¿Por qué mi a sol es una 3.ª menor?
    (e) ¿Por qué fa a si es una 4.ª aumentada?
    (f) ¿Por qué si a fa es una 5.ª disminuida?
21. (a) ¿Cuántos semitonos hay en los intervalos de una 5.ª disminuida y una 4.ª aumentada?
    (b) ¿Qué otro nombre describe la 5.ª disminuida y la 4.ª aumentada?
22. ¿Cómo invertimos intervalos?

23. ¿En qué se convierten estos intervalos cuando se invierten?

    disminuido   mayor   menor
    aumentado   perfecto.

24. Complete la frase: «Los sonidos producidos por intervalos son . . . . . o . . . . . ».

25. (a) ¿Qué dos descripciones damos de las concordancias?
    (b) Describa cada tipo de concordancia.

26. ¿Qué son las discordancias?

27. ¿Cuál es el hecho importante que hay que recordar de los intervalos?

28. ¿Qué son los intervalos dibujados a continuación?

29. (a) Escriba los siguientes intervalos en la clave de sol:
       (i) 4.ª perfecta arriba de mi ♭.
       (ii) 7.ª mayor arriba de do ♯.
       (iii) 3.ª menor abajo de la ♭.
    (b) Escriba los siguientes intervalos en la clave de fa:
       (i) 2.ª mayor arriba de fa ♯.
       (ii) 7.ª disminuida abajo de re.
       (iii) 4.ª aumentada arriba de fa.

30. Escriba los nombres de estos intervalos:

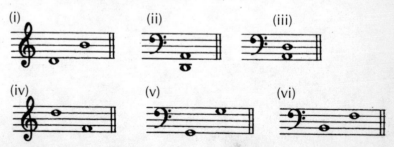

31. (a) ¿Qué es una escala?
    (b) ¿Cuales son las notas de la escala de do?
    (c) ¿Qué es una octava?
    (d) ¿Qué significa la palabra «diatónica»?
32. (a) ¿Qué es un tono?
    (b) ¿Qué es un semitono?
    (c) ¿Cuál es el modelo de tonos y semitonos en una escala mayor?
33. (a) Escriba, en el orden correcto, los nombres técnicos dados a cada grado de la escala.
    (b) ¿Cómo contamos siempre los grados de la escala: hacia arriba o hacia abajo?

IV

escalas y tonalidades

Escala mayor

Cada escala mayor está formada por dos mitades. La escala de do tiene do, re, mi, fa y sol, la, si, do. Cada mitad se llama *tetracordio* y lo forman un tono, un tono y un semitono. Hay un tono que enlaza dos tetracordios (fa a sol). Todas las escalas mayores pueden dividirse en estas dos mitades.

En do mayor, el tetracordio más alto es sol, la, si, do. Estas notas constituyen el tetracordio más bajo de sol mayor. El tetracordio más alto de sol mayor (re, mi fa ♯, sol) es el tetracordio más bajo de re mayor. Este cambio siempre se produce cuando agregamos un sostenido más a la nueva signatura. *Recuerde que en las tonalidades sostenidas el tetracordio más alto se convierte en el tetracordio más bajo de la tonalidad con un sostenido extra.* Por lo tanto, la nota más baja del tetracordio más alto de la tonalidad antigua se convierte en la tónica, o nota tónica, de la nueva tonalidad sostenida.

La séptima nota de una escala mayor está siempre un semitono abajo de la nota tónica. En sol mayor, por ejemplo, la nota tónica es sol, la séptima (fa ♯) está un semitono abajo

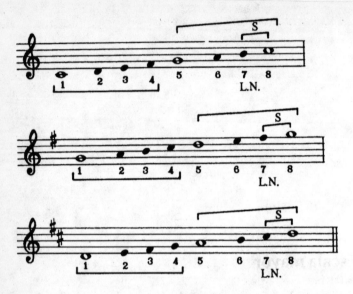

de sol. Esta séptima nota lleva al oído a volver a la nota tónica y, por consiguiente, se la llama *sensible* (S).

Armaduras

Podríamos escribir toda nuestra música usando un accidental delante de cada nota que quisiéramos alterar, pero esto haría que nuestra música fuera muy difícil de leer. De modo que reunimos nuestros sostenidos o bemoles y los escribimos sólo al comienzo de cada línea. La llamamos armadura.

Una armadura se compone de sostenidos o de bemoles, nunca una mezcla de ambos.

Si una armadura se cambia en una pieza de música, aparece una doble barra de compás, seguida de la nueva armadura.

Para crear la nueva tonalidad con un sostenido más que la tonalidad que se está empleando, deberá adoptarse el siguiente proceso:

1. La nueva escala comienza en el quinto grado de la escala anterior.

2. Las notas de esta nueva escala serán las mismas que en la escala antigua, pero la penúltima nota debe estar un semitono abajo de la nota tónica, y necesitará que se añada un sostenido a la armadura.

De este modo aparece un orden de sostenidos: fa ♯, do ♯, sol ♯, re ♯, la ♯, mi ♯, si ♯.

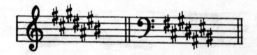

Éstos deben escribirse siempre en este orden:
(do mayor no tiene sostenidos ni bemoles)
sol mayor tiene 1 sostenido: fa ♯
re mayor tiene 2 sostenidos: fa ♯, do ♯
la mayor tiene 3 sostenidos: fa ♯, do ♯, sol ♯
mi mayor tiene 4 sostenidos: fa ♯, do ♯, sol ♯, re ♯
si mayor tiene 5 sostenidos: fa ♯, do ♯, sol ♯, re ♯, la ♯
fa mayor tiene 6 sostenidos: fa ♯, do ♯, sol ♯, re ♯, la ♯, mi ♯
do mayor tiene 7 sostenidos: fa ♯, do ♯, sol ♯, re ♯, la ♯, mi ♯, si ♯

Aquí están las escalas mayores con hasta cuatro sostenidos.

DO mayor

SOL mayor

RE mayor

LA mayor

MI mayor

Un modelo similar surge con las armaduras que se componen de bemoles.

En do mayor, el tetracordio más bajo es do, re, mi, fa. Éste es también el tetracordio más alto de fa mayor, cuya tonalidad tiene un bemol. El tetracordio más bajo de fa mayor (fa, sol, la, si♭) es también el tetracordio más alto de si mayor, cuya tonalidad tiene dos bemoles. *Recuerde que en las tonalidades de bemol, el tetracordio más bajo se convierte en el tetracordio más alto de la tonalidad con un bemol extra.* Por consiguiente, la nota más alta de todas del tetracordio más bajo de la tonalidad antigua se convierte en la tónica, o nota tónica, de la nueva tonalidad de bemol.

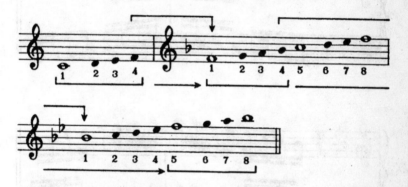

Así como las armaduras con sostenidos tienen un modelo, las armaduras con bemoles también. La diferencia es que cada bemol añadido está apartado una cuarta del anterior: si♭, mi♭, la♭, re♭, sol♭, do♭, fa♭.

fa mayor tiene 1 bemol: si♭
si♭ mayor tiene 2 bemoles: si♭, mi♭

mi ♭ mayor tiene 3 bemoles: si ♭, mi ♭, la ♭

la ♭ mayor tiene 4 bemoles: si ♭, mi ♭, la ♭, re ♭

re ♭ mayor tiene 5 bemoles: si ♭, mi ♭, la ♭, re ♭, sol ♭

sol ♭ mayor tiene 6 bemoles: si ♭, mi ♭, la ♭, re ♭, sol ♭, do ♭

do ♭ mayor tiene 7 bemoles: si ♭, mi ♭, la ♭, re ♭, sol ♭, do ♭, fa ♭

Aquí están las escalas mayores con hasta cuatro bemoles.

FA mayor

SI mayor

MI mayor

LA mayor

Una manera útil de recordar el orden de las tonalidades de sostenido y de bemol es la siguiente. El sentido de las agujas del reloj da las tonalidades de sostenido, contando una quinta para cada nueva tonalidad, y el sentido contrario al de las agujas del reloj, las tonalidades de bemol contando una cuarta entre cada nueva tonalidad.

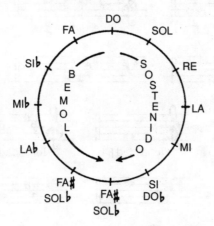

Advertirá que las escalas de si y do ♭, fa♯ y sol ♭, y do ♯ y re ♭ son enarmónicamente lo mismo.

Ahora debemos familiarizarnos con todas las armaduras mayores usando tanto la clave de sol como la de fa. En cada caso una semibreve muestra la nota tónica.

Tonalidad SOL ♭   Tonalidad DO ♭

También debemos aprender las posiciones en el pentagrama para los sostenidos y los bemoles cuando usamos una armadura con la clave de contralto o la de tenor.

Clave de contralto

Clave de tenor

Escala menor armónica

Hemos aprendido a fondo la composición de una escala mayor como dos tetracordios, el más bajo es tono, tono, semitono; el más alto es tono, tono, tono, semitono. El orden de la escala menor armónica es: tono, semitono, tono, tono, semitono, 2.ª aumentada, semitono.

La escala menor armónica de LA

Este orden de escala debería ser claramente comprensible con la explicación de que el sol tiene que ser sostenido porque es la sensible y ya hemos aprendido que para ser una sensible todas las sensibles deben estar a sólo un semitono de la tónica.

Por lo tanto, el sol debe ser sostenido para realizar el intervalo de una 2.ª aumentada desde fa, y también para convertirla en la sensible, un semitono desde la. Si comparamos las escalas de la mayor y la menor veremos las diferencias.

La tercera y la sexta notas son un semitono más bajo en la escala menor que en la mayor.

Una escala menor que comienza en la misma nota tónica o tónica que la escala mayor se llama *menor tónica*. Cuando escribimos una escala menor tónica, primero escribimos la escala mayor tónica y luego la bemolamos (bajamos un semitono) la tercera y la sexta notas. Por ejemplo:

Fa mayor

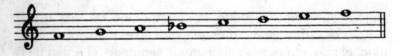

se convierte en fa menor

Por supuesto, para bemolar una nota no siempre usamos un bemol. Bemolar sólo significa bajar una nota un semitono.

Re mayor

se convierte en fa menor

Por lo tanto, para escribir la escala menor armónica de re escribimos como para la mayor de re, salvo que omitimos el signo de sostenido delante de fa (bemolear o bajar la tercera) y ponemos un bemol delante de si (bemolear o bajar la sexta).

Cada escala menor está relacionada con una escala mayor y comparte la misma armadura. Esto significa que la *menor relativa* de cualquier escala mayor es tres semitonos más baja que la escala mayor. Por ejemplo, la escala de re menor (como la menor relativa) comparte la misma armadura que fa mayor. De modo similar, mi menor es la escala menor relativa de sol mayor y comparte su armadura (un sostenido).

Una vez que la armadura está en su lugar para la tonalidad menor la única nota que necesita un accidental es la sensible, que debe ser elevada un semitono (sostenida).

Aquí están las escalas menores armónicas hasta cuatro sostenidos, con sus tonalidades mayores relativas.

Relativa menor armónica de la para do mayor

Relativa menor armónica de mi para sol mayor

Relativa menor armónica de si para re mayor

Relativa menor armónica de fa ♯ para la mayor

Relativa menor armónica de do ♯ para mi mayor

Aquí están las escalas menores armónicas hasta cuatro bemoles, con sus tonalidades mayores relativas, llamadas:

Relativa menor armónica de re para fa mayor

Relativa menor armónica de sol para si ♭mayor

Relativa menor armónica de do para mi ♭mayor

Relativa menor armónica de fa para la ♭ mayor

Escala menor melódica

Esta escala es diferente al ascender (subir) que al descender (bajar). Al ascender, las notas siguen el modelo tono, semitono, tono, tono, tono, tono, semitono.

Una menor melódica – relacionada con do mayor.

Para descender se usan las notas de la mayor relativa.

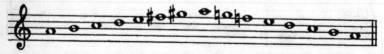

El fa ♯ y el sol ♯ tienen que ser anulados mediante el uso del becuadro.

Otra manera de recordar la formación de la escala menor melódica es pensar en la mayor tónica al ascender, luego sólo se necesita bemolar la tercera. Pensar en la mayor relativa al descender, luego sólo se necesita usar las notas pertinentes para esa escala, corrigiendo los accidentales usados que sea necesario.

Advierta que en la escala menor armónica con armadura los grados sexto y séptimo están elevados un semitono al ascender pero bajados de nuevo al descender.

Aquí están las escalas menores melódicas hasta cuatro sostenidos.

Relativa menor melódica de la para do mayor

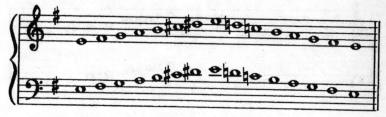

Relativa menor melódica de mi para sol mayor

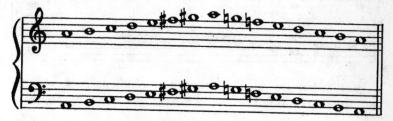

Relativa menor melódica de si para re mayor

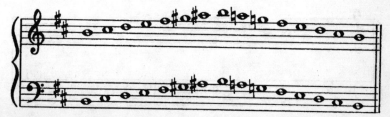

Relativa menor melódica de fa ♯ para la mayor

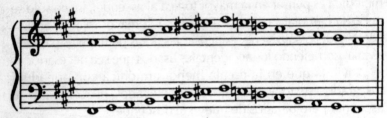

Relativa menor melódica de do ♯ para mi mayor

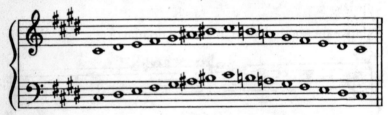

Aquí están las escalas menores melódicas hasta cuatro bemoles con los nombres de sus tonalidades mayores relativas.

Relativa menor melódica de re para fa mayor

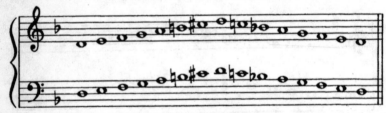

Relativa menor melódica de sol para si ♭ mayor

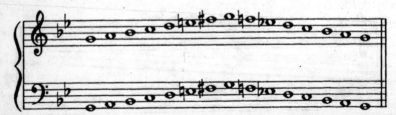

Relativa menor melódica de do para mi ♭ mayor

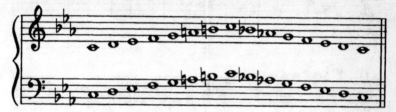

Relativa menor melódica de fa para la ♭ mayor

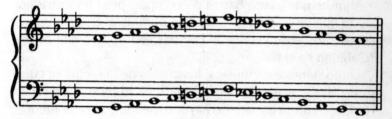

Advierta que en la escala menor melódica con armadura los grados sexto y séptimo están elevados un semitono al ascender, pero bajados de nuevo al descender.

Escala cromática

Así como hay dos formas de escala menor, también hay dos formas de escala cromática: armónica y melódica. La *armónica* se llama así porque sus semitonos pueden armonizarse dentro de la estructura de la escala diatónica normal. La *melódica* se inventó porque tiene menos accidentales y, por lo tanto, resulta más fácil de leer. Ambas formas aparecen seguidas únicamente por semitonos.

En la forma armónica escribimos el primer grado de la escala (tónica) y el quinto grado (dominante) sólo una vez; cualquier otro grado se escribe dos veces.

Aquí hemos usado barras de compás, pero no armadura. Puesto que un accidental dura sólo durante el compás en que está escrito, al descender, el compás seis no necesita becuadro alguno en el fa.

Como siempre en música, los grados de la escala se cuentan de abajo arriba. Podemos escribir cada forma de escala cromática con su armadura mayor o menor, o sin armadura.

La forma melódica de una escala cromática es sólo ascendente: al descender toma la forma armónica.

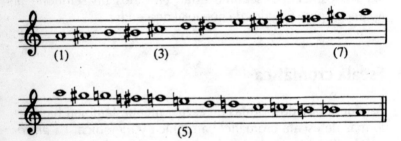

Advierta, entonces, que, en la forma melódica, la tercera y la séptima se usan sólo una vez, todos los otros grados dos veces. Al descender hay que usar la forma armónica, pues no hay una forma descendente de escala cromática melódica.

Hemos aprendido que la escala mayor, las escalas menor armónica, menor melódica y cromática se componen todas de diferentes modelos de tonos y semitonos. La mayor y ambas formas de escalas menores son diatónicas, puesto que cada nota tiene un nombre diferente. Ninguna forma de escala cromática puede ser diatónica, puesto que los nombres de las notas están repetidos.

Reconocimiento de las tonalidades

La música siempre se escribe con una armadura, pero, por supuesto, sería una composición aburrida la que no usara, en algún momento, un cambio de tonalidad (o modulación, para emplear el término correcto), y es esta identificación de las tonalidades por las que pasa la música lo que puede ser de gran interés.

Si usted ve dos sostenidos al comienzo de una obra, puede dar por sentado que la tonalidad es re mayor o si menor. Esto muy bien puede cambiar al cabo de pocos compases a la tonalidad de la o si menor o a otra tonalidad estrechamente relacionada, y la maestría con que se realiza es una medida por la cual podemos valorar la habilidad del compositor.

Para encontrar la tonalidad de una pieza de música nos ocupamos de mirar si las notas se ajustan a alguna escala que conocemos. Por ejemplo, debemos ser capaces de reconocer la clave que usó aquí Beethoven.

Sonata opus 49 n.º 2

En primer lugar, hay una armadura, un sostenido: sol mayor. Luego el primer sonido es un acorde completo de sol mayor, seguido por notas de la segunda inversión de la tríada tónica de sol mayor (para *Tríadas* véanse páginas 87-92). No obstante, la dominante ya no está en sol mayor; en el compás ocho introduce un do ♯ que, junto con el fa ♯ en la

armadura, nos hace pensar en la tonalidad dominante de re, aunque, en realidad, la música no entra de hecho en re mayor en este punto. ¿Comprende cómo pensamos? Un accidental añadido muy bien puede indicar el camino a la música que está modulando (cambiando) a una nueva tonalidad. Algunas veces un accidental hace alusión a una nueva tonalidad pero enseguida es suprimida mediante un becuadro o de otra manera, y el rumor de la alteración de la tonalidad es astutamente llevado a una senda diferente. La música de hecho no cambia a re mayor después de cuatro usos y supresiones del necesitado do sostenido. Cuando sucede así, no es el do sostenido ni su supresión lo que marca el camino –ésta era sólo una sutil «pista falsa»–, sino el uso repetido del acorde dominante, que se convierte en la nueva tónica.

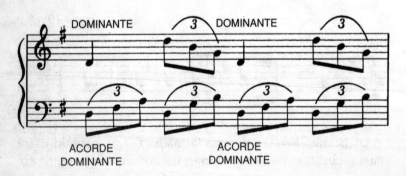

ACORDE DOMINANTE — **RE MAYOR** — etc.

Podemos exponer el método que usamos para reconocer la tonalidad:

a) Signatura.
b) ¿Qué muestran los primeros acordes o notas, mayor o menor? ¿Qué muestran los últimos acordes o notas?
c) ¿Hay algunas modulaciones (cambios de tonalidad)?
d) Observe si algún accidental forma parte de una escala.

Decida qué escala: ¿mayor, menor melódica o armónica? Un accidental es posible que engañe, puede simplemente ser cromático (un «extraño» para la tonalidad), usado para efecto. Observe si la nota subdominante de la tonalidad original está sostenida, esto puede mostrar un cambio de tonalidad para la dominante.

En el b) anterior sugerimos mirar el último acorde de una pieza de música. Algunas veces puede ser engañoso. Casi toda música termina en la tonalidad tónica; excepto donde una tierce de Picardie se ha usado para un efecto específico.

La tierce de Picardie (o tercera de Picardía) es el acorde mayor tónico en lugar del menor en el final de una composición en la tonalidad menor. Ésta tiene un efecto satisfactorio, final y reposado. Debe recordarse que se usa en tonalidades menores y que no altera la tonalidad del resto de la música.

«Hilft mir Gott' Gute preisen» – Bach

LA MENOR

Tierce de Picardie
(acorde de la mayor)

El cambio enarmónico (dar a una nota o notas nombres diferentes sin cambiar el registro) es un recurso que usan los compositores cuando quieren cambiar la tonalidad y pueden utilizar una nota para pivotar entre la tonalidad en que su música está y la nueva tonalidad a la que quieren cambiar.

El mi ♭ en el compás uno se convierte en re ♯ en el compás dos. Observe el uso de ligaduras y el cambio de armadura de mi ♭ mayor a mi mayor, con el uso de naturales para anular los bemoles en la armadura de mi ♭. Recuerde incluir una doble barra de compás antes de la nueva armadura como indicación de que algo nuevo va a suceder. Esto también se aplica para cambios en la velocidad de la música entre secciones.

Preguntas

1. (a) ¿Qué es una armadura?
   (b) Escriba el orden apropiado de los bemoles en las claves de sol, contralto, tenor y fa.
   (c) Escriba el orden apropiado de los sostenidos en las claves de sol, contralto, tenor y fa.

2. (a) Escriba las siguientes armaduras y notas tónicas, en la clave de sol, como blancas.

   (i) Mayor: fa, la, mi♭, sol, si♭, mi, re, la♭.
   (ii) Menor: re, sol, do, si, do♯, fa♯ mi, fa.

   (b) Escriba las siguientes armaduras y notas tónicas, en la escala de fa, como negras.

   (i) Mayor: mi♭, sol, la, fa, si♭, la♭, re, mi.
   (ii) Menor: sol, do♯, re, si, do, fa, mi, fa♯.

3. (a) Escriba las siguientes armaduras con notas tónicas como negras en la clave de sol:

re♭ mayor	fa♯ mayor	la♯ mayor
sol♭mayor	do♭mayor	do♯mayor
mi♭mayor	si mayor	re♯mayor
si♭ menor.		

   (b) Escriba las siguientes armaduras con notas tónicas como blancas en la clave de fa:

do♯mayor	sol♭mayor	do♭mayor
sol♯ menor	si mayor	re♭mayor
fa♯ menor	la♭ menor	mi♭menor
la♯ menor.		

4. (a) Nombre las tonalidades mayores con estas signaturas:

siete sostenidos   seis bemoles   cinco sostenidos
seis sostenidos   cinco bemoles   siete bemoles.

(b) Nombre las tonalidades menores con estas signaturas:

siete sostenidos   seis bemoles   cinco sostenidos
seis sostenidos   siete bemoles   cinco bemoles.

5. (a) ¿Qué es un tetracordio?
   (b) ¿Qué enlaza a dos tetracordios en una escala mayor?
6. (a) ¿Qué notas constituyen el tetracordio más alto de re mayor?
   (b) ¿Qué notas constituyen el tetracordio más bajo de sol mayor?
   (c) ¿Cómo podemos usar los tetracordios para realizar la escala con un sostenido más que sol mayor?
7. ¿Cómo podemos usar tetracordios para realizar la escala con un bemol más que fa mayor?
8. (a) ¿Qué tetracordio de qué escala usamos para realizar la escala de la mayor?
   (b) ¿Cuántos sostenidos tiene la mayor?
9. (a) ¿Qué tetracordio de qué escala usamos para realizar la escala de mi ♭ mayor?
(b) ¿Cuántos bemoles tiene mi ♭ mayor?
10. (a) ¿Cuál es el orden de intervalos en la escala menor armónica?
    (b) ¿Qué intervalo debe siempre separar la sensible de la tónica?
11. En la escala de la menor, ¿qué nota es la sensible?
12. (a) ¿Qué es una menor tónica?
    (b) ¿Cómo escribimos la menor armónica tónica de una escala mayor?
13. (a) ¿Qué armadura mayor usa una escala menor?
    (b) Cuando se usa la armadura para escribir una escala

menor armónica, ¿qué nota necesita siempre un accidental?

14. (a) ¿Qué es una menor relativa y cómo se encuentra?

(b) ¿Cuáles de las siguientes son tonalidades menores
relativas?:

fa mayor   mi ♭ mayor   sol mayor
do mayor   re mayor

15. (a) Escriba el modelo usado en la escala menor melódica
ascendente.

(b) ¿Qué modelo de escala usamos para descender?

16. ¿De qué maneras recordamos la formación de la escala
menor melódica?

17. ¿Qué debemos hacerles a los grados sexto y séptimo de
la escala menor melódica al ascender y al descender?

18. (a) ¿Cómo llamamos a las dos formas de escala cromática?

(b) ¿Por qué damos a cada una su nombre particular?

19. ¿Qué es importante recordar acerca de la escritura de la
forma armónica de una escala cromática?

20. ¿Qué es característico de la forma melódica de una
escala cromática?

21. (a) Al escribir la escala cromática melódica, ¿qué grados
de la escala se usan sólo una vez?

(b) ¿Hay realmente una forma descendente de la escala
cromática melódica? Si no, ¿cómo descendemos?

22. Ponga los accidentales para hacer que las siguientes
escalas cromáticas estén escritas de manera correcta:

(i)

(ii)

23. Modulación es el nombre que se da a una tonalidad que cambia durante una pieza de música. ¿Por qué podemos querer cambiar la tonalidad?

24. ¿En qué tonalidades están las siguientes?:

(i)   Beethoven *Op. 40 n.º 1*

(ii)   Melodía popular

(iii)

(iv)

25. ¿Cuál es el método que usamos para reconocer la tonalidad de una pieza de música?

26. ¿Termina siempre la música en la tonalidad tónica?

27. ¿Cuándo se deberá usar una tierce de Picardie en música?

V
tríadas

Formación de tríadas

Una tríada es la base de toda armonía. Una tríada puede formarse en cualquier grado de la escala mayor o la menor. Consisten en la nota baja, y la tercera y la quinta notas por encima de la nota baja.

Cada tríada se llama según el grado de la escala con la cual está asociada. Por lo tanto, la tríada en la tónica (nota tónica) es la tríada tónica. La tríada en la dominante es la tríada dominante. También puede aludirse a las tríadas o acordes mediante números romanos:

I = tríada tónica   II = tríada supertónica
III = tríada mediante   IV = tríada subdominante
V = tríada dominante   VI = tríada submediante
VII = tríada sensible

DO mayor

Tipos de tríadas

Los que designan el nombre y la cualidad de una tríada son la 3.ª y la 5.ª. Para hacer una tríada mayor el intervalo entre la raíz y la 3.ª debe ser una 3.ª mayor (cuatro semitonos), y el intervalo entre la 3.ª de la tríada y la 5.ª debe ser una 3.ª menor (tres semitonos).

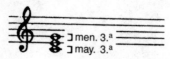

Si la 3.ª de la tríada está bemolada un semitono, entonces la tríada se convierte en menor. De este modo, la tríada menor consiste en un intervalo menor entre la raíz y la 3.ª, y un intervalo mayor entre la 3.ª y la 5.ª.

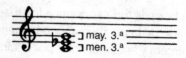

Para hacer una tríada disminuida deben usarse dos intervalos de 3.ª menor, haciendo de este modo a la 5.ª de la tríada también un semitono menor.

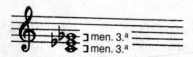

Una tríada aumentada requiere dos intervalos de 3.ª mayor, haciéndola de este modo un semitono mayor que una tríada major corriente.

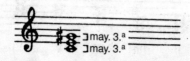

Las tríadas mayor y menor son concordantes porque son satisfactorias en sí mismas, y no necesitan resolución. Las tríadas disminuidas y aumentadas son discordantes o disonantes, de modo que necesitan que las siga un acorde de resolución para asegurar que se hace un sonido completo.

Posición de las tríadas

Hasta aquí todos los acordes han estado en posición de raíz. Esto significa que la nota de la cual se deriva el acorde está en la parte inferior de la tríada y la 3.ª y la 5.ª han sido colocadas por encima de ella.

No obstante, es posible invertir las tríadas colocando cualquier nota diferente de su raíz en la parte inferior del acorde.

Por ejemplo (i), la raíz está en el bajo, por lo tanto la tríada está en posición de raíz.

Por ejemplo (ii), la 3.ª de la tríada está en el bajo, de modo que crea una primera tríada de inversión.

Por ejemplo (iii), la 5.ª de la tríada está en el bajo, de modo que se crea una segunda tríada de inversión.

Cuando se usan los números romanos para describir la tríada, se añaden letras pequeñas después del número para indicar la posición de la tríada. Posición de raíz = a, 1.ª inversión = b, 2.ª inversión = c. En la práctica, sin embargo, siempre se omite la letra «a» en un acorde de posición de raíz y se usa sólo el número romano. En los ejemplos siguientes la tonalidad es sol mayor y los acordes se han identificado usando sus números romanos y letras.

I   V   Vc   IVb

Las tríadas más importantes son aquellas cuyas raíces son la tónica, la dominante y la subdominante. Estas tríadas se llaman tríadas primarias.

Aquí están las tríadas primarias de do mayor y luego do menor y sus inversiones.

	Posición de raíz	Primera inversión	Segunda inversión
Do mayor tónica			
Do mayor subdominante			
Do mayor dominante			
Do menor tónica			
Do menor subdominante			

Do menor
dominante

En una tonalidad menor, cuando se usa una armadura, recuerde siempre asegurarse de que la sensible ha sido elevada un semitono. Aquí se habría necesitado si ♮ si se hubiera usado una armadura.

Preguntas

1. (a) ¿Qué es una tríada?
   (b) Escriba las tríadas tónicas de do, sol y fa mayores en posición de raíz.
   (c) ¿Qué significa «posición de raíz»?
2. (a) ¿Qué es una tríada menor?
   (b) Escriba las tríadas tónicas de do, sol y fa menores.
   (c) ¿Cómo se forman las tríadas disminuidas?
   (d) ¿Cómo se forman las tríadas aumentadas?
3. (a) ¿Cómo invertimos una tríada?
   (b) ¿Qué son los intervalos en una tríada de primera inversión?
   (c) ¿Qué son los intervalos en una tríada de segunda inversión?
4. (a) Escriba las tríadas de primera inversión de do, sol y fa mayores.
   (b) Escriba las tríadas de segunda inversión de do, sol y fa menores.
5. Identifique las siguientes tríadas como mayor, menor, aumentada o disminuida.

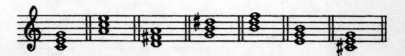

6. (a) ¿Qué son las tríadas primarias?
   (b) Escriba las tríadas primarias en las tonalidades de do, sol y fa mayor.
   (c) ¿Cómo describimos las tríadas primarias en una tonalidad mayor, y por qué?

7. Escriba las tríadas primarias de sol mayor y menor, con armadura y sus inversiones, y etiquételas usando números romanos y una letra para describir su posición.

8. Las siguientes tríadas están en la tonalidad de sol mayor. Identifique cada tríada con un número romano describiendo en qué grado de la escala está basada la tríada, y la letra apropiada para describir la posición de la tríada.

VI
ritmos más avanzados

Tresillo

Los compositores a menudo quieren un ritmo diferente y lo dividen en dos. Una manera de hacer esto usa un *tresillo*. Un tresillo es un grupo de tres notas tocadas en el tiempo de dos del mismo valor de nota.

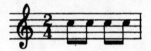

podría convertirse en

que aún tiene dos ritmos en el compás, pero cada ritmo tiene un tresillo de tres corcheas.

Signaturas de compás compuesto

Usando el principio del tresillo

podría convertirse en

El ritmo se ha hecho ahora más complicado. Así, si el compositor quiere emplear este ritmo desde el principio hasta el fin de una pieza de música es mejor usar una armadura que le da ritmos que él puede dividir por tres. Este ritmo es con puntillo.

Llamamos a tal ritmo con puntillo un ritmo *compuesto* y la signatura de compás que usa ritmos con puntillo se llama signatura de compás *compuesto*.

El tiempo compuesto, entonces, es el uso de ritmos con puntillo y tiempo simple es el uso de ritmos sin puntillo.

se convierte en

Por supuesto, éste necesita un cambio de signatura de compás.

El número superior de una signatura de compás indica cuántas subdivisiones del ritmo hay en cada compás, es tres veces la de una signatura de compás simple. El número inferior indica el valor de cada subdivisión. Por ejemplo, $\frac{3}{4}$ se convierte en $\frac{9}{8}$ o tres negras con puntillo.

El nueve indica que hay nueve subdivisiones de la negra con puntillo (tres para cada una de las tres negras). El ocho indica que el valor de cada subdivisión es una corchea.

Así, para encontrar el número de ritmos en un compás de tiempo compuesto, divida el número superior por tres. Para encontrar el valor de cada ritmo, divida el número inferior por dos y ponga puntillo a la respuesta.

A la inversa, para encontrar la signatura de compás equivalente compuesto de una signatura de compás simple, multiplique el número superior de la signatura de compás simple por tres y el número inferior de la signatura de compás simple por dos, así:

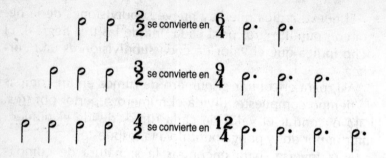

Agrupamiento

En un tiempo simple, el agrupamiento debe mostrar el ritmo. En el tiempo compuesto, el ritmo es con puntillo, por lo tanto, cada uso de las notas y las pausas debe mostrar este hecho.

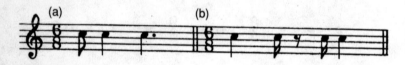

¡En (a) hemos hecho un ritmo de puntillo ennegrecido en lugar de una negra con puntillo! La corchea es el puntillo y debe ir después de la negra. Para mantener el mismo sonido tiene que escribirse:

y éste muestra con toda claridad el ritmo.

En (b) realmente hemos conseguido ocultar el ritmo, y deberíamos haber escrito:

(c)  (d)

El ejemplo (c) es correcto, porque dos pausas de corchea se añadieron a la corchea para mostrar con toda claridad el primer ritmo de corchea con puntillo. El compás se completó con una negra y una pausa de corchea; podríamos haber usado una pausa de corchea con puntillo.

El ejemplo (d) es erróneo, porque los ritmos no están agrupados de manera apropiada. El primer ritmo debe completarse antes de comenzar a agrupar el resto del compás, como en el ejemplo (c).

Analice lo siguiente:

(e)

Tres negras con puntillo en cada compás.

(f)

Dos negras con puntillo en cada compás.

(g)

Cuatro negras con puntillo en cada compás.

En el ejemplo (f) observe cómo se completa el compás. El primer ritmo se completa mediante dos pausas de corchea, una pausa de corchea habría sido erróneo. No obstante, podemos usar una pausa de negra al comienzo del segundo ritmo.

En el ejemplo (g) observe las ligaduras para realizar el ritmo particular.

El hecho principal para entender tanto los tiempos compuestos como los simples es que los tiempos simples o compuestos deben ser claros. Si el ritmo puede identificarse con toda claridad, todo está bien; si no, escriba de nuevo sus valores para hacer ritmos de acuerdo con su signatura de compás.

Se han usado otras signaturas de compás. Holst ha utilizado $\frac{5}{4}$ en la suite *Los planetas*, opus 32. Bartók ha usado $\frac{7}{8}$, $\frac{5}{8}$ y $\frac{4}{8}$ todas dentro de cinco compases en su «Barcarolla» de la suite *Im Freien*. Constant Lambert ha utilizado $\frac{5}{4}$ en su *Río Grande*, una obra coral con solo de piano en estilo de jazz. Puede emplearse cualquier número de ritmos con tal de que el ritmo sea claro.

Como el tresillo

las notas pueden agruparse de muchas otras maneras. Cada grupo tiene un nombre mediante el cual se lo puede identificar; a continuación están las principales.

Dosillo (sólo se encuentra en el tiempo compuesto)
Un grupo de dos notas que ocupa el tiempo de tres notas de la misma clase.

Cuatrillo (sólo se encuentra en el tiempo compuesto)

Un grupo de cuatro notas, corcheas o semicorcheas, que ocupa el tiempo del ritmo con puntillo principal.

Cintillo

En el tiempo simple, un grupo de cinco notas que ocupa el tiempo de cuatro notas de la misma clase, como en el ejemplo (c). En el tiempo compuesto, un grupo de cinco notas que ocupa el tiempo de cuatro notas de la misma clase, como en el ejemplo (d).

Seisillo

Un grupo de seis notas que ocupan el tiempo de cuatro notas de la misma clase.

Septillo

En el tiempo simple, un grupo de siete notas que ocupa el tiempo de cuatro notas de la misma clase, como en (e). En el tiempo compuesto, un grupo de siete notas que ocupa el tiempo de seis notas de la misma clase, como en el ejemplo (f).

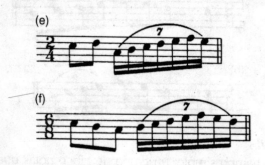

Síncopa

Sabemos que las barras de compás muestran la fuerza del ritmo al ser colocadas inmediatamente antes de cada ritmo fuerte.

La primera nota del compás es por lo general el ritmo fuerte. Podemos alterar este orden natural del ritmo escribiendo una nota larga donde aparecería un ritmo medio o débil.

o por medio del uso de pausas en lugar del ritmo fuerte, haciendo de este modo que un ritmo débil comparta el acento:

o por medio de ligaduras, robando el ritmo fuerte del acento que se coloca en otra parte.

Llamamos *síncopa* a la alteración del modelo normal de ritmos fuertes y más débiles. Es un método que se usa con frecuencia en el jazz y la música pop de hoy en día.

Nuestro conocimiento de los ritmos fuertes puede utilizarse para ayudarnos a poner barras de compás en una sección de música que no tiene barras. Este ejemplo tiene una signatura de compás de $\frac{4}{4}$, de manera que las dos negras y la blanca evidentemente llenan el primer compás. El compás siguiente incluye las cuatro corcheas y la blanca.

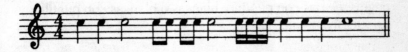

El tercer compás tiene las semicorcheas y las tres negras. La semibreve llena el compás cuatro. No puede haber otras posiciones para las barras de compás porque la semibreve debe llenar un compás y éste establece las barras de compás.

La blanca al final debe, evidentemente, estar al comienzo de un compás (véase página 30). Trabajando hacia atrás, llegamos a la negra al comienzo.

Cuando tenemos un compás incompleto al comienzo de una pieza de música le damos el nombre de *anacrusa*. Su valor se añade al del último compás para completar un compás lleno.

Una ligadura puede ser una clave para compasar; a menudo se escribe de lado a lado o a través de la barra de compás. Sólo puede unir notas del mismo registro.

Cuando no se da signatura de compás, primero debemos observar el agrupamiento de las notas. Estarán agrupadas en negras, negras con puntillo, blancas o blancas con puntillo, y así sucesivamente.

(a)

Aquí podemos ver, a partir de la blanca con puntillo en el final, que nada más puede pertenecer a esa nota: desde luego no la negra con puntillo que da comienzo a la notación. También, las notas en todas partes están agrupadas como negras. La signatura de compás, por lo tanto, no puede ser otra que $\frac{3}{4}$. Las barras de compás, por tanto, se interponen entre la nota cuarta y la quinta y, a partir de entonces, después del valor de los tres ritmos de negra.

(b)

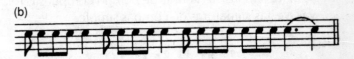

En (b) evidentemente tenemos un tiempo compuesto. El agrupamiento de las corcheas muestra que el ritmo es una negra con puntillo. La primera corchea, sola y desamparada, por supuesto pertenece a la última negra, la ligada al final. Así, la simple aritmética muestra que la signatura de compás es $\frac{6}{8}$: las barras de compás que aparecen después de la primera corchea y luego entre la nota sexta y la séptima y, a partir de entonces, después del valor de los dos ritmos de negra con puntillo.

Preguntas

1. ¿Qué es un tresillo?
2. (a) ¿Qué queremos decir con una signatura de compás compuesto?
   (b) ¿Qué es un ritmo compuesto?
3. ¿Cuál es la diferencia entre tiempo simple y compuesto?
4. (a) ¿Qué indica el número superior de una signatura de compás compuesto?
   (b) ¿Qué indica el número inferior de una signatura de compás compuesto?

5. (a) ¿Cómo encontramos el número de ritmos en el tiempo compuesto?

(b) ¿Cómo encontramos el valor de cada ritmo?

(c) Escriba signaturas de tiempo compuesto que tengan dos, tres y cuatro ritmos en cada compás.

6. (a) ¿Cómo encontramos la signatura de compás equivalente compuesto a partir de una signatura de compás simple?

(b) ¿Cuáles son las signaturas de tiempo compuesto relativas a estas signaturas de compás simple?

$$\frac{4}{8}; \; \frac{2}{4}; \; \frac{3}{4}; \; \frac{2}{2}; \; \frac{3}{2}; \; \frac{4}{4}.$$

7. Escriba de nuevo lo siguiente, corrigiendo cada uno para mostrar el ritmo con claridad:

(v)

8. Corrija lo siguiente:

(i)   **(ii)**

9. Complete los compases siguientes:

10. ¿Qué debe, en todo momento, quedar absolutamente claro, sin que importe qué signatura de compás se está usando?

11. Ponga las signaturas de compás:

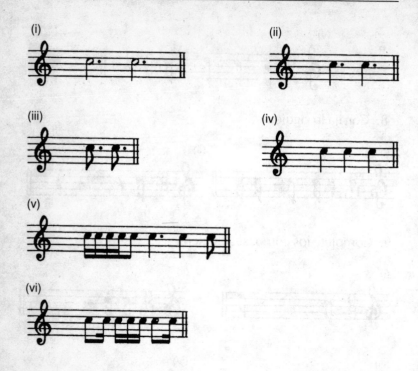

12. (a) ¿Qué es un dosillo, y en qué clase de signatura de compás aparece?

(b) ¿Qué significa la palabra cinquillo en el tiempo simple?

(c) ¿Qué significa la palabra cinquillo en el tiempo compuesto?

(d) ¿Qué es un cuatrillo, y en qué clase de signatura de compás aparece?

(e) ¿Qué es un seisillo?

(f) ¿Qué significa la palabra septillo en el tiempo simple?

(g) ¿Qué significa la palabra septillo en el tiempo compuesto?

13. ¿Qué significaría la evidencia de ritmos con puntillo por lo que se refiere a la signatura de compás?

14. ¿Qué significa la palabra síncopa?
15. (a) ¿Qué es una ligadura?
    (b) ¿Puede una ligadura unir notas de diferente registro?
16. Cuando no hay signatura de compás, ¿cómo podemos decidir dónde poner las barras de compás?
17. ¿Qué es una anacrusa?

VII
armonía

La armonía es la principal característica en música que distingue a la música occidental de otros tipos de música de todas partes del mundo. La armonía es la combinación de sonidos oídos como acordes y examina la relación entre las notas que constituyen los acordes además del orden en que deberían aparecer. Tales sonidos, como en toda música, deben ser formados para ser tanto rítmicos como melódicos.

Acordes de la 7.ª, la 9.ª y la 13.ª

Además de la tríada normal que puede usarse en la escritura amónica, es posible añadir otras notas a la tríada básica. Uno de los acordes más importantes es el de la 7.ª añadida. Esta nota por lo general se añade a la tríada dominante en la tonalidad apropiada.

En la tonalidad de do mayor, el acorde de sol es el acorde dominante. El acorde de 7.ª dominante (V^7) se forma mediante el añadido de la nota 7.ª menor al acorde dominante.

V⁷ en DO mayor

Este acorde entonces se convierte en un acorde disonante y, por lo tanto, debe ser resuelto. El acorde de resolución es, por lo general, el acorde tónico.

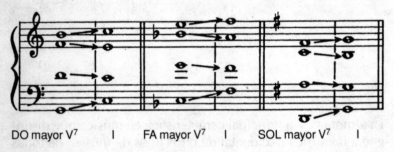

DO mayor V⁷   I   FA mayor V⁷   I   SOL mayor V⁷   I

Observe cómo en cada caso la nota baja se eleva a la nota tónica, la 3.ª del primer acorde se eleva paso a paso a la nota tónica del acorde siguiente, y la nota 7.ª siempre desciende paso a paso a la 3.ª del acorde siguiente. La resolución de la 7ª nota del acorde es en particular importante y debería aplicarse siempre. También es posible añadir otra 3.ª al acorde de 7.ª dominante, en cuyo caso el acorde resultante se convierte en la 9.ª dominante (V⁹).

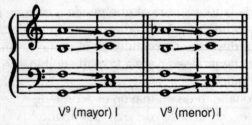

V⁹ (mayor) I   V⁹ (menor) I

Si se fuera a añadir otra 3.ª, se formaría la 11.ª (V¹¹) dominante, y una 3.ª adicional crearía la 13.ª dominante (V¹³).

Estos añadidos de terceras pueden escribirse en la tonalidad mayor o la menor, y se resuelven hacia abajo paso a paso como las notas 7.as.

Algunas reglas armónicas

El sonido completo, un acorde derivado de una tríada se escribe mejor con cuatro notas o partes. Con un acorde de cuatro notas, una de las voces debe ser doblada (usada dos veces en el mismo acorde) puesto que una tríada consta sólo de tres notas.

Hay algunas reglas fundamentales que necesitan aprenderse antes de comenzar a escribir acordes en cuatro partes.

1.   En los acordes de posición de raíz es aconsejable doblar la raíz del acorde o la 5.ª, pero por lo general no la 3.ª.

2.   En los acordes de 1.ª inversión (la 3.ª está en la parte inferior del acorde) doble la raíz o la 5.ª, pero no la 3.ª.

3. En los acordes de 2.ª inversión (la 5.ª está en la parte inferior) siempre doble la 5.ª, pero nunca la 3.ª.

4. Ninguna de las dos partes debería continuar en 5.ᵃˢ u octavas. Éstas se llaman consecutivas y no suenan armónicamente correctas. No obstante, esto es aceptable donde se repite la misma octava.

5.ᵃˢ CONSECUTIVAS   OCTAVAS CONSECUTIVAS   OCTAVAS REPETIDAS

Cadencias

Una cadencia es la conclusión de una frase, una oración o una idea musical. Las cadencias son el equivalente musical de la puntuación en el lenguaje o la escritura.

Hay cuatro tipos principales de cadencias: perfecta, plagal, imperfecta e interrumpida.

1. La cadencia perfecta (conclusión completa) usa acordes V-I o V⁷-I, y es el sonido más completo de todas las cadencias.

V   I   V⁷   I

2. La cadencia plagal usa acordes IV-I, y con frecuencia se encuentra al final de himnos.

IV   I   IV   I

3. La cadencia imperfecta (conclusión a medias) usa acordes I-IV o IV-V.

I   V   IV   V

4. La cadencia interrumpida usa acordes V-VI. Suena al comienzo como si se fuera a interpretar una cadencia perfecta con el uso del acorde dominante, pero luego la música cambia por completo de dirección con la utilización del acorde submediante (VI).

V   VI   V   VI

Hay otra cadencia que puede emplearse. Se llama cadencia frigia, y sólo se encuentra en la tonalidad menor. Usa los acordes IVb-V, y es realmente una cadencia perfecta en la tonalidad menor.

IVb   V

El penúltimo acorde de cualquier progresión cadencial está sobre un ritmo débil del compás, y el acorde final está sobre un ritmo fuerte. La única excepción a esto es cuando se usa una *conclusión femenina*. Ésta puede aplicarse a cualquier cadencia, la diferencia es que el acorde final acaba sobre el ritmo débil del compás.

Más maneras de escribir acordes

Es posible escribir acordes en una forma rota o arpegiada así como todas las notas sonando juntas al mismo tiempo. Aquí están algunos ejemplos. Una versión arpegiada de un acorde es cuando las notas de una tríada se usan en un orden ascendente o descendente.

Un acorde roto puede aparecer en una serie de formas.

Un tipo de escritura de acorde roto llegó a ser muy popular en la música de teclado del siglo XVIII. Se le dio el nombre del compositor italiano que la inventó, Domenico Alberti. El estilo se llama un bajo de Alberti. En el piano aparece en la mano izquierda, y utiliza notas de la tríada en un formato repetitivo.

Acordes cromáticos

Un acorde cromático puede hacerse a partir de un acorde diatónico añadiendo uno o más accidentales, pero sin cambiar la tonalidad. Así, en do mayor, el acorde II puede convertirse en un acorde cromático transformando el acorde menor en uno mayor con la introducción de un fa ♯.

Cuando, como en el ejemplo anterior, el añadido de una nota cromática hace al acorde mayor, con frecuencia se convierte en el acorde dominante en una progresión V-I. Cuando esto sucede, estos acordes, que funcionan como un dominante, se conocen como dominantes secundarios. No crean

necesariamente un sentimiento de modulación, tan sólo añaden color a las progresiones de los acordes. Pueden aparecer en los acordes II, III, VI y también en Ib.

El acorde de 6.ª napolitana

Ésta es la 1.ª inversión de un acorde mayor en una supertónica bemolada (♭IIb).

Aunque puede usarse tanto en la tonalidad mayor como en la menor, es más común que se use en las menores. Con frecuencia se encuentra relacionada con progresiones cadenciales, por ejemplo:

♭IIb-Ic-V-I en do mayor.

I-♭IIb-V-I en do menor.

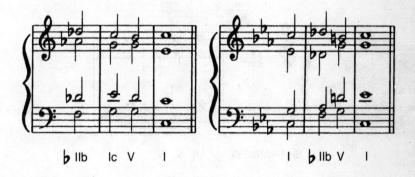

♭ IIb   Ic   V   I   I   ♭ IIb V   I

El acorde de 6.ª aumentada

Hay tres versiones del acorde de 6.ª aumentada. En su mayor parte aparecen en el grado de 6.ª menor de la escala. Puesto que es un acorde aumentado, debe resolverse. Por lo general las dos notas que forman el intervalo de 6.ª aumentada se resuelven hacia el exterior para formar una octava.

La 6.ª italiana consta de: 3.ª mayor y 6.ª aumentada por encima de la nota baja.

6.ª ITALIANA   6.ª it.   V   V⁷   I

La 6.ª francesa consta de: 3.ª mayor, 4.ª aumentada y 6.ª aumentada por encima de la nota baja.

6.ª FRANCESA   6.ª fr. V   V⁷   I

La 6.ª alemana consta de: 3.ª mayor, 5.ª perfecta y 6.ª aumentada por encima de la nota baja.

El acorde de 6.ª alemana siempre es el primer acorde de tres, haciendo un acorde de acercamiento a la cadencia perfecta o interrumpida.

6.ª ALEMANA   6.ª al.   Ic   V⁷   I

El acorde de 7.ª disminuida

El acorde de 7.ª disminuida consta de tres 3.ª menores en lo alto de cada una de las otras.

El acorde es disonante y, por lo tanto, debe ser resuelto, puesto que contiene no sólo el intervalo de 7.ª disminuida

sino también dos 5.ᵃˢ disminuidas.

Para el intervalo de 7.ª disminuida es normal resolver hacia el interior para formar una 5.ª perfecta, y para los dos intervalos de 5.ª disminuida también resolver hacia el interior para formar una 3.ª mayor o menor.

Otras formas de notación

Los símbolos de números romanos que se han empleado hasta el momento nunca se usaron en la interpretación. En cambio hay dos maneras de notar música en taquigrafía. Una deriva del jazz y la música «popular», la otra de un período de la música conocido como barroco (siglo XVII-mediados del XVIII), y se llama bajo cifrado o bajo completo.

El propósito de estos dos tipos de notación es dar al intérprete información referente a los acordes que deberán usarse, mientras se permite la libre interpretación o decoración en la línea de la melodía o en los acordes.

Notación de jazz

Los acordes usados en la música de jazz son, por lo general, completamente simples. Las estructuras de acordes más complejos se obtienen mediante improvisación sobre lo que ya está dado en la música.

El nombre del acorde se muestra con el nombre de la nota. Así se asume que el acorde es mayor a menos que después del nombre de la nota se coloque una pequeña «m.», lo que convierte al acorde en menor. Si después del nombre de la nota se usa un «+» o «aum.», entonces el acorde es aumentado, y si se usa una «o» o «dis.», entonces el acorde es disminuido.

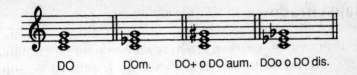

DO   DOm.   DO+ o DO aum.   DOo o DO dis.

Además, algunas veces se añaden notas al acorde básico que desea un compositor. Estos añadidos se muestran mediante un número junto al nombre de la nota, do[6]. Esto significa que un acorde de un do mayor debería tocarse (do, mi, sol) más la sexta nota desde do, que es la.

DO[6]

Cuando se usa el número 7 junto con el nombre de una nota, sol[7], se refiere a la 7.ª menor del nombre de la nota (sol, si, re, fa). Si el intervalo de la 7.ª mayor desde el nombre de la nota lo requiriera, se escribiría como solmay.[7] (sol, si, re, fa ♯).

SOL[7]   may.[7]

Algunas veces un compositor querrá especificar que nota baja usar. Esto se consigue escribiendo la descripción del acorde como normal y luego colocando el nombre de la nota baja específica después de una barra oblicua (/), dom./sol (se requiere un acorde de do menor con un sol en el bajo).

DOm./SOL

Bajo cifrado

En la época del barroco era muy común para un continuo para interpretar toda música, excepto la música de solo. Un continuo consistiría normalmente en un instrumento de teclado (clavicordio u órgano) y un instrumento bajo de cuerda (chelo). A ambos intérpretes se les daría una línea de música simple en la clave de fa. El intérprete de teclado necesitaría «realizar» la línea baja tocando la parte dada en la mano izquierda y añadiendo acordes arriba, mientras que el intérprete de cuerda sólo tocaría la línea baja.

El intérprete de teclado podría determinar qué acordes deseó el compositor a partir de la línea baja porque debajo de cada nota estaban escritos números. Estos números representaban los intervalos que las notas adicionales tenían que estar por encima de las notas bajas.

Acorde de posición de raíz

Esto significa que el acorde por encima de la nota baja consta de un do, 3.ª (mi) y la 5.ª (sol). Puesto que este estilo de escritura es una forma de taquigrafía, un acorde de posición de raíz también se reconoce por los números $\frac{5}{3}$ o por no tener números debajo de la nota apropiada. Las notas extras pueden tocarse de muchas maneras.

Acorde de 1.ª inversión

Esto significa que el acorde por encima del bajo consta de la 3.ª (sol) y la 6.ª (do). Es importante recordar que el mi en el bajo no debe doblarse, puesto que es la 3.ª del acorde básico de do en posición de raíz. El do debería doblarse y el acorde formado puede tener este aspecto:

El acorde ⁶₃ a menudo se nota como un 6 debajo de la nota baja apropiada.

Acorde de 2.ª inversión

Esto significa que el acorde por encima de la nota baja consta de la 4.ª (do) y la 6.ª (mi). La nota baja debe doblarse. Cuando se armonizan los pasajes de música, este acorde debería usarse con moderación, y sólo se encuentra por lo general en puntos de cadencia.

Acordes de la 7.ª

Estos acordes tienen sus propios números, puesto que usan una nota adicional (la 7.ª) para los acordes básicos que acabamos de analizar, y esta nota debe notarse en la numeración que aparece debajo de la nota baja.

Acorde de posición de raíz de la 7.ª

Esto significa que la 3.ª (si), la 5.ª (re) y la 7.ª (fa) están tocadas por encima de la nota baja. Es más común para este acorde numerarlo simplemente como 7.

Acorde de 1.ª inversión de la 7.ª

Esto significa que la 3.ª (re), la 5.ª (fa) y la 6.ª (sol) por encima de la nota baja se tocarán. Este acorde normalmente se nota como $^6_5$.

Acorde de 2.ª inversión de la 7.ª

Esto significa que la 3.ª (fa), la 4.ª (sol) y la 6.ª (si) se tocarán por encima de la nota baja. Este acorde por lo general se numera $^6_4{}_3$.

Acorde de 3.ª inversión de la 7.ª

Esto significa que la 2.ª (sol), la 4.ª (si) y la 6.ª (re) se tocarán por encima de la nota baja. Este acorde por lo general se numera $^6_4{}_2$.

Accidentales de la notación

Para escribir un accidental usando números, el accidental apropiado por lo general se escribe a la izquierda del número a que se refiere, pero también puede estar después de éste. Si un accidental se escribe directamente debajo de la nota baja, éste se refiere a la 3.ª nota por encima de la nota baja.

En los acordes de 1.ª inversión, donde la numeración normal es un 6, una 3.ª alterada cromáticamente se nota escribiendo el accidental debajo del 6.

Una barra (/) que atraviesa el número significa que la nota debería elevarse un semitono.

Un acorde de 7.ª disminuida se escribe como ⁊ para evitar la confusión con el acorde de 7.ª de posición de raíz .

Como regla general, para encontrar la raíz de una tríada completamente figurada, encuentre el número par más bajo:

en posición de raíz 8 es la raíz;
en 1.ª inversión 6 es la raíz;
en 2.ª inversión 4 es la raíz.

Suspensiones

Una suspensión se produce cuando se retrasa el movimiento de una nota de un acorde, mientras que las otras notas cambian a un nuevo acorde y crean una disonancia debido a la nota ligada.

A continuación aparecen dos progresiones que usan los mismos acordes. No obstante, en la segunda progresión el sol está ligado por arriba al nuevo acorde, suspendido antes de resolverse hacia el fa ♯.

Hay tres notas involucradas en la creación de suspensiones:

1. la nota de preparación, que siempre debe ser parte del acorde
2. la suspensión, que es la misma nota ligada por arriba

3. la nota de resolución, que siempre es parte del nuevo acorde.

La nota de resolución siempre se alcanza mediante un paso hacia arriba (una suspensión verdadera) o hacia abajo (conocida como un retardo). Los ejemplos que siguen muestran cómo los acordes se notarían usando números. Recuerde que los números muestran los intervalos desde la nota baja.

Notas de paso

Hemos visto los acordes y las notas que los forman. No obstante, en música, las líneas de melodía también se forman mediante el uso de notas que no son una parte esencial de la armonía de los acordes siguientes y, por lo tanto, añaden una pequeña disonancia a la música. Estas notas se conocen como notas de paso. Pueden aparecer en la línea de melodía así como en la línea de bajo.

El tipo más simple de nota de paso es uno que une dos notas de armonía que son una tríada aparte.

Más de una nota de paso puede aparecer entre dos acordes, y es bastante posible introducir notas de paso cromáticas además de usar accidentales.

La secuencia

Una secuencia es la repetición inmediata de un modelo de notas a un intervalo más alto o más bajo. Puede aparecer en la línea melódica (secuencia melódica) o en los acordes (secuencia armónica), y también puede estar combinada en ambas.

Este recurso fue en particular común en la época del barroco, cuando los compositores lo usaban para que los ayudara a modular (cambio de tonalidad) en la música.

El tipo de secuencia más popular consiste en usar un acorde de posición de raíz y hacer que le siga un acorde una 4.ª más alto o una 5.ª más bajo. Los corchetes (└─────┘) muestran las dominantes secundarias que aparecen en este tipo de progresión (V-I), y pueden usarse junto con el cambio de tonalidad.

etc.

V   I   IV   VII   III   VI   II   V

Modulación

Una modulación hace referencia a un cambio de tonalidad en la música. Para que se produzca, es necesario introducir la sensible (7.ª nota) sostenida de la nueva tonalidad, y completar la modulación con una cadencia perfecta en la nueva tonalidad.

En cada uno de los ejemplos siguientes el primer acorde es el «acorde pivote». Este término se aplica a un coro que puede relacionarse con ambas tonalidades, la tonalidad antigua y la nueva tonalidad, de modo que actúa como un pivote entre las dos tonalidades.

Tonalidad = do mayor, modula a la menor

En DO mayor I
En LA menor III   V^7 I

Tonalidad = do mayor, modula a sol menor

En DO mayor I
En SOL mayor IV   V^7 I

Tonalidad = do mayor, modula a mi menor

En DO mayor I
En MI menor IV   IV   V⁷   I

Tonalidad = do mayor, modula a fa mayor

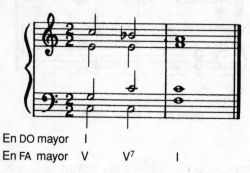

En DO mayor   I
En FA mayor   V   V⁷   I

Tonalidad = do mayor, modula a re menor

En DO mayor   I
En RE menor VII   V⁷   I

Antes de modular es necesario decidir la nueva tonalidad. Cada tonalidad tiene dos tonalidades estrechamente relacionadas, la dominante y la subdominante. Estas tonalidades, combinadas con sus tonalidades menores relativas, forman las cinco tonalidades relacionadas.

Así, en do mayor, las tonalidades relacionadas son:

do mayor (subdominante)   sol mayor (dominante)
re menor (relativa a fa mayor)
mi menor (relativa a sol mayor)
y la menor (menor relativa a do mayor)

De modo similar, desde do menor:

fa menor (subdominante)   sol mayor (dominante)
la♭ mayor (mayor relativa a fa menor)
si♭ mayor (mayor relativa a sol menor)
y mi♭ (mayor relativa a do menor)

Preguntas

1. Escriba los acordes de 7ª, 9ª, 11ª y 13ª dominantes en las tonalidades de re mayor y re menor.
2. ¿Qué notas por lo general doblamos, en cada caso, cuando escribimos acordes de posición de raíz, primera inversión y segunda inversión?
3. ¿Qué dos tipos de intervalo debería evitar usar consecutivamente?
4. ¿Qué acordes forman lo siguiente?
   (i) cadencia perfecta;
   (ii) cadencia imperfecta;
   (iii) cadencia plagal;
   (iv) cadencia interrumpida.

5. ¿Qué es la cadencia frigia?
6. ¿Cuándo se usa una conclusión femenina?
7. Nombre dos maneras de escribir acordes que se derivan de la forma de tríada normal.
8. ¿Cómo se forman las dominantes secundarias?
9. ¿Qué representa ♭IIb?
10. Hay tres acordes de 6.ª aumentada. Nómbrelos y diga las diferencias entre ellos.
11. ¿Qué intervalos se usan para formar el acorde de 7.ª disminuida?
12. En el pentagrama siguiente, escriba los símbolos correctos que identificarían estos acordes para un músico de jazz.

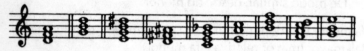

13. Numere los siguientes acordes usando correctamente el bajo cifrado.

14. Escriba los acordes que corresponden a estos números.

15. ¿Qué nombres se dan a las tres notas que se usan para formar suspensiones?
16. ¿Qué nombre recibe una suspensión que se resuelve hacia arriba?
17. ¿Qué es una nota de paso?
18. Complete los acordes de esta secuencia y escriba los símbolos de acorde.

19. Escriba las cinco tonalidades relacionadas de lo siguiente:
    (i) fa mayor;
    (ii) mi menor.

VIII

escritura vocal
y
de las partes

Registros vocales

La voz humana puede dividirse en cuatro categorías principales:

   soprano: alta, femenina (un niño canta tiple);
   contralto/alto: baja, femenina;
   tenor: alta/masculina;
   bajo: baja, masculina.

   Éstos, y dos registros adicionales, son aproximadamente lo
siguiente.

Bajo   Barítono   Tenor

Contralto   Mezzosoprano   Soprano

En un coro o cualquier conjunto de voces (o instrumentos), cada uno se llama una parte. En la escritura vocal el bajo y la soprano son las partes exteriores, y el tenor y la contralto las interiores.

A continuación están cuatro compases de una escritura vocal de cuatro partes en partitura cerrada, o para piano. Observe la llave { que une ambos pentagramas implicando que si se toca en un instrumento de teclado deberán tocarse ambos pentagramas.

A continuación se muestra cómo aparecería la música en partitura abierta, o vocal. La parte del tenor emplea la escala de sol, pero con una octava abajo. Esto es porque la parte del tenor está escrita una octava más alta que como se canta. Advierta que sólo se usa el corchete puesto que las cuatro partes son cantadas por voces diferentes.

Cuando se escribe música para cuatro partes pero usando la partitura cerrada, o para piano, los rabos de las notas de la contralto y el bajo deberán dirigirse hacia abajo. El unísono (partes que suenan la misma nota) puede necesitar dos rabos, pero si la nota es una semibreve escriba dos notas, una para cada parte.

Cuando se escribe para cuatro partes en pentagrama abierto, o vocal, los rabos de las notas deberán dirigirse hacia arriba o hacia abajo según su posición en el pentagrama. Arriba de la línea media: rabos hacia arriba; debajo de la línea media: rabos hacia abajo. En la línea media: hacia arriba o hacia abajo, según el modelo a cada lado.

Algunas veces a uno le pueden pedir que escriba en pentagrama abierto para un cuarteto de cuerdas. En este caso, las partes son: claves de fa, sol o tenor para el violonchelo; clave de contralto para la viola; claves de sol para los violines segundo y primero.

Superposición

Esto aparece cuando una parte va horizontalmente abajo o arriba de la parte junto a ella, como, por ejemplo:

Aquí la soprano (tiple) comienza en la dominante y luego cae por debajo de la tónica, que se oye de la parte de la contralto (alto) en el acorde anterior.

Cruce de partes

Esto se presenta cuando una parte es más alta que la voz que normalmente estaría por debajo, o más baja que la voz que normalmente estaría por encima, como, por ejemplo:

El cruce puede presentarse en cualquiera de las partes salvo entre las dos exteriores, pero por lo general está entre las dos partes verticalmente adyacentes.

Los compositores han usado este tratamiento muchas veces por razones técnicas especiales, pero como regla armónica general la superposición y el cruce de partes deberán evitarse ya que hacerlo empañan la línea melódica de las partes interesadas.

Preguntas

1. Nombre los cuatro registros de la voz humana y describa cada uno.
2. Dé el registro aproximado de las siguientes voces:

| soprano | tenor | contralto |
| barítono | mezzosoprano | bajo |

3. (a) ¿Qué nombre damos a las notas que toca un miembro individual de un conjunto (coro, cuarteto, etc.)?
   (b) ¿En qué orden vertical se encuentran impresas las notas para cada tipo de voz cuando están escritas para un coro de cuatro partes? Comience por la voz de sonido más bajo.
4. ¿En qué tipo de pentagrama está escrito lo siguiente?

5. (a) Escriba el ejemplo anterior en pentagrama abierto o vocal.

   (b) ¿Qué clave clave usan hoy en día los cantantes alto y tenor?

6. (a) Usando una partitura para piano, ¿cómo deberían escribirse los rabillos de las partes de la soprano y el tenor?

   (b) Usando una partitura para piano, ¿cómo deberían escribirse los rabillos de las partes de la alto y el bajo?

   (c) ¿Cómo deberían mostrarse las notas de unísono en una partitura para piano?

7. (a) ¿Cómo deberían escribirse los rabillos de las notas de una partitura abierta?

   (b) ¿Cuál es la diferencia entre las palabras unísono y octava?

8. Los cuartetos de cuerdas siempre se escriben en partitura abierta. ¿Qué claves se usan para cada instrumento: violonchelo, viola, violines primero y segundo?

9. (a) ¿Qué se quiere decir con superposición?

   (b) Dé un ejemplo de superposición y explíquelo.

10. (a) ¿Qué se quiere decir con cruce de partes?

   (b) Dé un ejemplo de cruce de partes y explíquelo.

11. ¿Qué efecto perjudicial se puede provocar al permitir que las partes se superpongan?

IX

transporte

Esto puede explicarse como escribir de nuevo una composición, o parte de una composición, en un registro distinto del original.

Transporte entre claves

Éste es un ejercicio que sería más fácil de leer si estuviera escrito en clave de sol debido a todas las líneas adicionales. En primer lugar, escribimos la clave de sol, luego fijamos el registro de la primera nota, que aquí da la casualidad de que es do mayor. El resto sólo es cuestión de prestar atención para transcribir cada nota con cuidado a su lugar legítimo en la partitura de sol.

En nuestros ejemplos no hay accidentales, pero esta necesidad no nos causa problemas si tenemos cuidado al identificar la nota concerniente y pensamos en su registro. El error más común en el transporte de una clave a otra es al transcribir al registro correcto. Por ejemplo, (a) es el fa por encima de do mayor, no el fa por debajo del do menor como se muestra en (b), y en (c) el la es esos dos do mayor por debajo de la, no como se muestra en (d) que está sólo un do mayor por debajo de la.

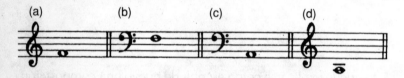

Así que recuerde tener cuidado al fijar el registro de cada nota que escriba. Considere a qué distancia por encima o por debajo de do mayor se encuentra la nota que está transcribiendo. Considere la alteración hecha por el uso de la nueva clave. Lea con mucha atención lo que se le ha encargado que haga. Tenga cuidado en no escribir una octava más alta cuando se le ha pedido que escriba de nuevo en un registro de una escala más bajo.

Podemos querer escribir el siguiente pasaje en la escala de sol para que suene una octava más alto.

La primera nota es un do. Una octava más alta es do mayor. El pasaje entonces sube la escala mayor mediante tono, tono, semitono, tono a sol, cuya nota se repite. La nota siguiente es un tono más alta, la, y luego cae mediante tono,

tono a fa. Luego sube una 3.ª hacia atrás hasta la y cae hacia atrás hasta sol. El siguiente pasaje consta de un tono abajo, una 3.ª menor abajo, un tono arriba, una 3.ª mayor abajo, un tono arriba, un tono abajo, un tono arriba, una 3.ª menor abajo, un semitono arriba.

De este modo transportamos mediante intervalo.

De manera similar, (a) escrito una octava más bajo se convierte en (b).

(a)

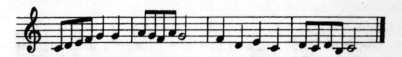

(b)

En primer lugar, con el fin de transportar, uno debe determinar la tonalidad del original, véase página 77.

El siguiente ejemplo está en sol mayor. Podemos ver esto por la armadura: hay un sostenido, fa ♯, y la última nota es sol. Ahora podemos decidir la tonalidad del transporte que nos proponemos.

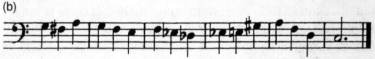

Transportemos arriba un semitono: esto significa que nuestra nueva tonalidad va a ser la ♭ (no hay tonalidad de sol ♯ mayor). Al mirar el original encontramos que la primera nota es la mediante de sol mayor, de modo que nuestra primera nota –después de poner nuestra nueva armadura de cuatro bemoles– también debe ser la mediante que, en la tonalidad de la ♭, es la nota do.

Tras haber determinado nuestra primera nota, podemos continuar mediante intervalo para cada nueva nota. La segunda nota en sol mayor está un tono por debajo de la primera nota. Para la segunda nota en el transporte, también debemos descender un tono, que, en nuestra nueva tonalidad, es si ♭.

Cuando estemos terminando, deberemos verificar nuestro trabajo examinando cada nota como hicimos con la primera. El original es mediante, ¿hemos transportado por medio del uso de la mediante de la nueva tonalidad? La segunda nota es supertónica, ¿hemos transportado mediante el uso de la nueva supertónica? La tercera nota es tónica; ¿hemos usado la tónica de la nueva tonalidad? Y así sucesivamente.

Si se han usado accidentales, el efecto del accidental en el original debe reproducirse en el transporte.

El ejemplo anterior está en la tonalidad de re menor. Transportaremos abajo un semitono, lo que significa que nuestra nueva clave será do ♯ menor.

En el original la primera nota era una 3.ª menor por encima de la tónica, de modo que en nuestro transporte –después de poner la nueva armadura– la primera nota también debe estar una 3.ª menor por encima de la tónica, que en do ♯ menor es la nota mi. Entonces podemos continuar para completar el resto del transporte mediante intervalo para cada nueva nota. En el original la segunda nota está una 3.ª menor por debajo de la primera nota: la tónica, de hecho. Así, la segunda nota de nuestro transporte también debe ser la tónica, que en do ♯ menor es do ♯.

El transporte puede continuar mediante intervalo, pero es aconsejable verificar el transporte de accidentales mediante la comprobación de que el intervalo movido ha sido correctamente transportado y también que están en el mismo intervalo desde la nueva tónica como lo está la nota en la versión original desde la tónica original.

Nuestro primer accidental aquí es si ♮ en el tercer compás. Éste, en la versión original, está un tono por encima de la nota anterior, así que en la versión transportada debe usarse un tono arriba a partir de sol ♯: la ♯. Como comprobación adicional, advierta que el si ♮ del original está una 6.ª por encima de la tónica; así el transporte a la ♯ es correcto: está una 6.ª mayor por encima de nuestra nueva tónica.

Asimismo, con el do ♯: está un semitono por debajo de la nota anterior y es la sensible de la antigua tonalidad. Nuestro transporte debe estar un semitono por debajo de do ♯ y ser la sensible: si ♯ es correcto. Por último, el mi ♭: está una 3.ª disminuida por encima de la nota anterior y la supertónica bemolada de la antigua tonalidad. En el transporte, por lo tanto, la nota correcta debe estar una 3.ª por encima de la nota anterior y ser la superior bemolada de nuestra nueva tonalidad. Re ♮ es correcto.

La necesidad de un doble sostenido o un doble bemol no produce consternación, sino que puede ser transportado exactamente de la manera que aquí se enseña: primero mediante intervalo desde la nota previa y luego comprobado mediante su intervalo desde la tónica.

transportada abajo un tono:

El doble sostenido está un semitono por debajo de la nota anterior, también es una dominante bemolada, así que el transporte debe ser el mismo.

Recuerde que cuando se usa armadura debe existir un accidental en la versión transportada sólo donde aparece uno en el original.

Instrumentos transpositores

Antes de dejar el transporte, debería saberse que hay instrumentos para los cuales, por lo general, la música se escribe en otra tonalidad u octava que en la que suenan. Éstos se llaman instrumentos transpositores e incluyen muchos instrumentos de viento no entonado en do, como clarinetes en si ♭, mi ♭ y la, trompas en fa, trompetas en si ♭ y re, flautín (que suena una octava más alta que la notación escrita), además del contrabajo (que suena una octava más baja que la notación escrita).

La necesidad de instrumentos transpositores se originó, en los primeros tiempos de la música, cuando sólo las notas naturales estaban disponibles para intérpretes de ciertos instrumentos de viento. Hoy en día estos instrumentos tienen válvulas y llaves que aseguran una afinación mejor y proporcionan un registro mayor que los modelos anteriores. El principio básico es que la nota do escrita de hecho suena la nota mencionada en la descripción del instrumento. Una trompeta en si ♭ , tocando un do escrito, suena si ♭ (un tono más bajo que lo escrito). Una trompa en fa, tocando un do escrito, suena fa (una 5.ª más baja que lo escrito). La música para el contrabajo está escrita una octava más alta que sus sonidos para evitar usar muchas líneas adicionales: la nota inferior del contrabajo suena

 y está escrito

clarinete en si ♭	suena un tono más bajo que lo escrito.
clarinete en la	suena una 3.ª menor más baja que lo escrito.
clarinete en mi ♭	suena una 3.ª menor más alta que lo escrito.
trompeta en si ♭	suena un tono más bajo que lo escrito.
trompeta en re	suena un tono más alto que lo escrito.
trompeta en do	*no* se transporta.
trompa en fa	suena una 5.ª perfecta más baja que lo escrito.
flautín	suena una octava más alta que lo escrito.
contrabajo	suena una octava más baja que lo escrito.

Preguntas

1. ¿Qué es transporte?
2. Antes de poder transportar una pieza de música a otro registro, ¿qué hecho debemos conocer?
3. ¿En qué tonalidad están los siguientes?

(i)

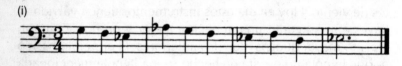

(ii)

(iii)

4. Después de haber determinado la primera nota del transporte, ¿cómo debemos continuar?
5. ¿Cómo podemos comprobar la exactitud de nuestro transporte?
6. ¿Debe el intervalo de una tónica a una nota con un accidental ser el mismo en una versión transportada?
7. (a) Escriba de nuevo la siguiente melodía una octava más baja, usando la clave de fa:

(b) Escriba de nuevo la siguiente melodía una octava más alta, usando la clave de sol:

8. (a) Escriba de nuevo esto una octava más alta, usando la clave de sol:

(b) Escriba de nuevo esto una octava más baja, usando la clave de fa:

9. Escriba de nuevo lo siguiente en un registro un semitono más alto. Use la nueva armadura y explique cómo es transportada cada nota.

10. (a) ¿Cuál es la tonalidad de lo siguiente?

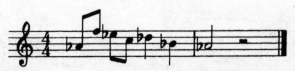

(b) ¿Cuál sería la nueva tonalidad si se transportó hacia arriba una 3.ª menor?

11. (a) ¿Cómo comprobamos el transporte de accidentales?

(b) ¿Son algunos accidentales necesarios en una versión transportada del ejemplo en la pregunta 10 (a) cuando se usa la armadura?

12. ¿Cómo transportamos un doble sostenido o un doble bemol?

13. Con una armadura, ¿cuándo aparecerá un accidental en la versión transportada de una pieza?

14. (a) ¿Qué se quiere decir con la descripción «instrumentos transpositores»?

(b) Nombre tres instrumentos transpositores.

(c) ¿Cómo está escrita la música para un contrabajo, y por qué?

(d) Usando un pentagrama bajo, escriba la nota más baja que suena con el contrabajo, y luego la nota como se escribiría.

(e) Escriba esto como si sonara tocado por un clarinete en si♭.

X

ritmos con palabras

Puesto que una gran cantidad de música se canta, y como ésta usa palabras, ahora debemos aprender a escribir ritmos para ajustar las palabras.

«In the sea I caught a flea,
What a funny place for it to be.»

En primer lugar debemos leer las palabras en voz alta varias veces, de manera que se encuentre el ritmo natural. Algunas palabras estarán más acentuadas que otras. Una manera de decirlas sería:

«*In* the sea I I *caught* a flea, I
What a funny place for I *it* to be.» II

Sabemos que un ritmo (o acento) fuerte sigue siempre a una barra de compás, de modo que podemos poner las barras de compás en el ejemplo anterior.

En el compás uno tenemos cuatro palabras que son iguales, quizá cuatro negras podrían ajustarse. Luego el compás dos debe ser dos negras y una blanca. El compás tres tiene cuatro sonidos rápidos y dos lentos, de manera que cuatro corcheas y dos negras ajustarán el compás. El compás cuatro es dos negras y una blanca. La armadura es, evidentemente, $\frac{4}{4}$.

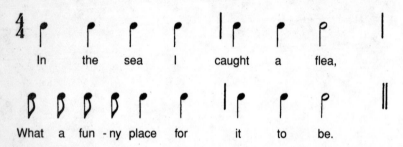

In the sea I caught a flea,

What a fun - ny place for it to be.

Aquí, casi todas las palabras tienen una nota; «funny», sin embargo, necesita dos porque hay dos sonidos o sílabas en la palabra. Debemos tener cuidado de dar una nota a cada sílaba de cada palabra.

Este ejemplo tiene palabras con varias sílabas.

«I like walking, it makes me very fit.»

La palabra «walking» tiene dos sílabas, como «very». No es la longitud de una palabra, sino los sonidos separados que hacemos cuando decimos la palabra, que son las sílabas.

Diga la frase anterior varias veces y los acentos pueden caer como aquí:

I like wal - king —, it makes me ve - ry fit.

Advierta la síncopa en el compás dos y la manera en que escribimos las palabras, separando las sílabas con un guión.

La colocación de las palabras es fácil si se siguen ciertas reglas. Siga éstas:

(a) Lea varias veces las palabras hasta que una manera rítmica particular de decirlas se fije en su mente.

(b) Señale las palabras o sílabas acentuadas.

(c) Ponga una barra de compás delante de cada acento fuerte.

(d) Escriba una signatura de compás y comience a escribir el ritmo, asegurándose de que cada compás está completa y correctamente agrupado.

(e) Las corcheas y los valores más cortos deberán estar separados cuando cada nota es una palabra o una sílaba diferente.

Preguntas

1. Ponga estas palabras en las melodías siguientes. Escriba cada sílaba exactamente debajo de la nota a que se refiere:

(i)

«Bobby Shaftoe's gone to sea.»

(ii)

«Oh dear, what can de matter be? Johnny's so long at the fair.»

(iii)

«Lucky Locket lost her pocket, Kitty Fischer found it.»

(iv)

«All the birds of the air were a sighing and a sobbing, when they heard of the death of poor Cock Robin.»

2. Escriba los valores de las notas para las palabras siguientes. Tenga cuidado de poner las palabras, o sílabas, exactamente debajo de las notas a las cuales intenta que correspondan:

> (i) «Mary had a little lamb, she thought it was a goat; it ended up as mutton chops and a sheepskin coat.»
> (ii) «Ant and Rabbit, Lamb and Mouse, Horse and Kangaroo; Chimpanzee and Ape and Rat – all are in the zoo.»

3. (a) ¿Cómo se escriben los valores de las corcheas y los valores más cortos cuando se hace el ritmo de las palabras?

(b) ¿Cuál de estos modelos de notas (i o ii) se ajusta mejor a las palabras siguientes? Diga por qué.

(i)

A algunas personas les gusta el sonido de campanas; en cambio, otras no pueden soportarlo.

(ii)

XI
fraseo

Como con todas las artes, la música de éxito consta de varias características equilibradas y contrastadas para formar un todo. Este equilibrio existe tanto dentro de la pieza completa como dentro de cada parte componente, y aquí es necesario estudiar el equilibrio creado dentro de las melodías, pues éstas componen la estructura principal de cualquier música.

Si examinamos una melodía famosa, como el principio del andante de la sinfonía *La sorpresa* de Haydn, podemos ver el equilibrio entre las dos mitades de la melodía principal, que están descritas como A y B.

Existe un ritmo muy similar en ambas mitades, hay un principio idéntico para cada mitad, y sólo se hace alguna alteración en la segunda mitad.

Si deseamos añadir una continuación equilibraba y apropiada a una melodía, una práctica por lo general llamada «añadido de una frase de contestación», debemos emplear el siguiente procedimiento. Primero, empezar nuestra continuación usando el principio de la melodía dada. Por ejemplo, si la melodía dada es:

podemos continuar:

La próxima etapa es introducir una modulación, por lo general para la dominante (en este caso sol mayor) si la tonalidad tónica es mayor. Al incorporar algunas características rítmicas del original nuestro añadido se convierte en lo mismo, en cuanto a longitud, que la porción dada.

De este modo la melodía completa es:

Podemos ver, por lo tanto, que cualquier música que aña-damos debe equilibrar la porción dada tanto en ritmo como en longitud.

Para ser un poco más musicales podemos usar, al comienzo de nuestra continuación, sólo el ritmo del princi-pio. Aquí el principio dado es:

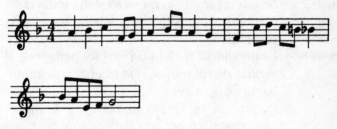

Podemos añadir:

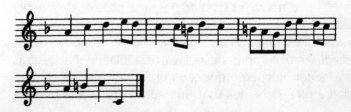

La melodía dada puede, por supuesto, modular una tonali-dad relacionada (a menudo la dominante o la mayor/menor relativa). Si lo hace así, es posible que se nos pida que es-cribamos un final apropiado para la melodía dada. En este caso debemos añadir música que nos devolverá a la tonalidad original.

La siguiente melodía, en la menor, modula a do mayor en el compás de octava.

Esto puede identificarse de tres maneras:

compás 7   – Se usa un sol. Si la música estaba todavía en la menor su sensible (sol) debería haber sido sostenida.

compás 8   – La penúltima nota es un re. Éste pertenece al acorde de sol mayor, que es el acorde domi-nante de do mayor.

– Puesto que esta melodía modula a do mayor es necesario tener una cadencia perfecta en la nueva tonalidad (V-I). Así, un acorde de sol mayor es seguido por un acorde de do mayor.

Si vamos a escribir un final apropiado a este principio debe-mos añadir otro compás de octava, modulando hacia atrás hasta la menor. Recuerde que, con el fin de modular de una tonalidad a otra, debemos usar una nota extraña a la primera tonalidad, pero ajustándola a la nueva tonalidad. En el ejemplo siguiente esta nota será un sol sostenido, la sensible de la menor.

En este final hemos añadido música que equilibra el principio en ritmo y longitud, pero también contrasta con él, usando el modelo de corchea/semicorchea con puntillo.

Puede que se nos pida que añadamos un final a una melodía que de hecho no modula en la parte dada. Si tenemos longitud suficiente, compás de octava o más, deberemos tratar de introducir, al menos, la idea de una tonalidad diferente, aunque de hecho no modulemos a ella, antes de concluir la melodía.

Aquí hemos usado una referencia pasajera a re menor (usando un do ♯) para realizar un final más interesante.

En los compases 13 y 14 hay un recurso conocido como secuencia melódica. La melodía del compás 13 está repetida en el compás 14 un tono más bajo. Las secuencias pueden ser tan cortas como un compás o tan largas como una frase u oración completa, el punto esencial es repetir el modelo melódico en un registro diferente. Si la melodía no es por completo la misma en líneas generales, pero el ritmo es idéntico, usamos el término secuencia rítmica.

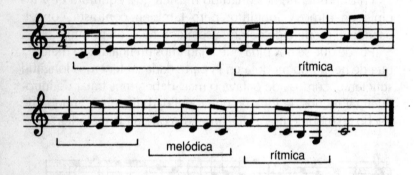

También usamos el término «secuencia» para hacer referencia a una progresión de acordes, repetidos en diferentes registros. Ésta se llama secuencia armónica.

Preguntas

1. (a) ¿Qué dos características son esenciales en cualquier forma de arte de éxito?

   (b) ¿Qué integra la estructura principal de la música?

2. Copie estas melodías y señale con A y B la frase de cada melodía:

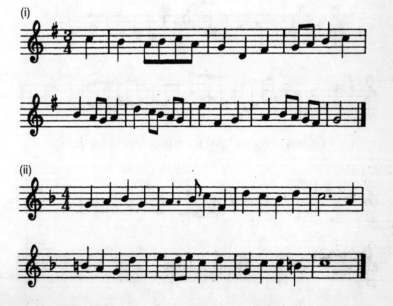

3. (a) ¿Qué término usamos para describir el añadido de una continuación equilibrada y apropiada a una melodía?

   (b) ¿De qué manera podemos usar el principio dado para ayudarnos en nuestra continuación?

   (c) ¿Cómo podemos introducir algún interés en nuestra continuación?

   (d) ¿Qué debemos recordar cuando continuamos una melodía?

4. ¿De qué manera podemos ser más musicales y no limitarnos simplemente a copiar el principio de la melodía?

5. (a) Si la porción dada modula una tonalidad relacionada y vamos a añadir un final, ¿qué debe hacer nuestra melodía antes de concluir?

   (b) ¿Qué debemos hacer con el fin de modular con claridad?

6. (a) Añada frases de contestación a estos principios:

(b) Añada finales apropiados a los siguientes principios:

(i)

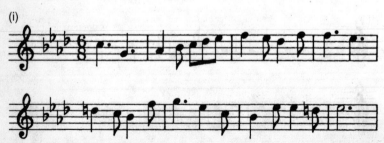

(ii)

7. (a) ¿Qué es una secuencia melódica?
   (b) ¿Qué es una secuencia rítmica?
   (c) ¿Qué es una secuencia armónica?
   (d) Según la siguiente melodía, marque todas las secuencias e identifique su tipo como melódica a rítmica.

XII
ornamentación

La ornamentación se usa en música para decorar ideas musicales. En la música primitiva la norma aceptada para el solista (instrumental o vocal) era añadir notas extras a ciertos puntos en la interpretación de una composición. Éste era en particular el caso cuando una sección de música estaba repetida con el fin de hacer que la segunda se oyera más decorativa y, así, diferente de la primera vez. Tal ornamentación de improvisación dependía del poder imaginativo y la habilidad de ejecución del intérprete, y solía variar de interpretación a interpretación. Los compositores primitivos estaban, en cierta medida, satisfechos de dejar esta decoración de su música a intérpretes competentes, pero poco a poco estos signos fueron evolucionado hasta representar en la escritura toda clase de embellecimiento aceptable, tan próxima como fuera posible.

Algunos compositores modernos escriben por extenso exactamente qué pretenden que se toque. Sin embargo, otros usan los signos tipificados que se tratan a continuación.

La apoyatura

Este ornamento se escribe como una nota diminuta, ♪, del valor que va a sonar. A diferencia del aspecto de la acciaccatura (véase la página siguiente) es parte de la melodía. Pensando en la nota delante de la cual está colocada la apoyatura como la nota principal, la apoyatura toma la mitad del valor de una nota principal que es divisible por dos.

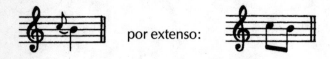

por extenso:

Si la nota principal es con puntillo, la apoyatura toma dos tercios del valor.

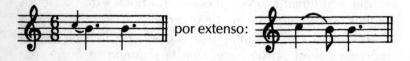

por extenso:

Si la nota principal está ligada, la apoyatura toma el valor de la más larga de las notas ligadas.

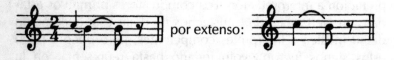

por extenso:

Cuando la apoyatura está escrita con un acorde, toma el lugar de la nota a la cual está unida por una ligadura.

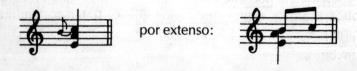

por extenso:

La acciaccatura

Éste es un ornamento escrito como una nota diminuta, como la apoyatura, pero con un trazo a través de su rabillo . La intención musical puede comprenderse al saber que acciaccatura procede de la palabra *acciaccare*: aplastar. En la interpretación una aplasta el ornamento tanto como es posible sobre el ritmo. Sin embargo, sin duda habrá una cierta anticipación y ésta no es indeseable si es diminuta y el resultado es un acento fuerte de la nota principal.

Si quiere mostrar la acciaccatura por extenso, en un examen, por ejemplo, se acostumbra a hacer quitando una fusa de la nota principal.

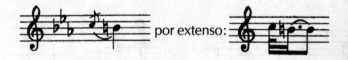

por extenso:

El mordente (Mordente superior ∿) (Mordente inferior ∿)
Tres notas al mismo tiempo que la principal

   (i) la nota principal;
  (ii) la nota encima (para un mordente superior) o la nota debajo (para un mordente inferior);
 (iii) la nota principal.

Mordente superior

por extenso:

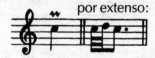

Mordente inferior
(también conocido
como mordente
invertido)

Al escribir el mordente por extenso puede ser de ayuda recordar:

Tempo más lento que allegro (véase página 229): parta por la mitad y ponga puntillo a la nota principal. Dé el valor que queda a las primeras dos notas del ornamento: (a).

Tempo allegro o más rápido: parta por la mitad el valor de la nota principal y dé el valor que queda a las primeras dos notas del ornamento: (b).

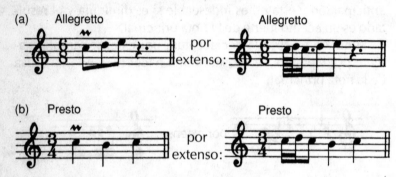

Un doble mordente – ⚡ o ⚡ – simplemente repite el primer mordente. Los valores de las notas por lo general siguen la regla: parta por la mitad la nota principal y dé el valor que queda a las primeras cuatro notas del ornamento.

La nota superior o inferior (en un mordente superior o inferior respectivamente) es siempre diatónico para la tonalidad y está determinado por la armadura.

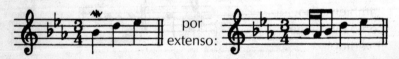

EXPIRES:	EXPIRES:
-2018	10-31-2018
EXPIRES:	EXPIRES:
-2018	10-31-2018
RES:	EXPIRES:
-2018	10-31-2018
RES:	EXPIRES:
-2018	10-31-2018
RES:	EXPIRES:
-2018	10-31-2018
RES:	EXPIRES:
-2018	10-31-2018
RES:	EXPIRES:
-2018	10-31-2018
RES:	EXPIRES:
-2018	10-31-2018
RES:	EXPIRES:
2018	10-31-2018
RES:	EXPIRES:
2018	10-31-2018

Para alterar la nota superior o inferior (según sea necesario) añadimos el accidental apropiado encima (o debajo) del signo para el ornamento.

El trino (o quiebro)

Un ornamento de dos notas, la nota principal y la nota de encima. Éstas se tocan rápidamente, una después de la otra, y están indicadas por las primeras dos letras de la palabra escrita encima de la nota principal.

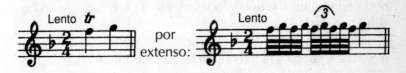

por extenso:

La cantidad de alteraciones puestas en un trino depende del valor de la nota principal y el tempo de la música. Para un tempo inferior a allegro, use fusas. Para un tempo más rápido, use semicorcheas.

Un trino siempre debe finalizar en la nota principal a menos que esté seguido por una nota una tercera más alta.

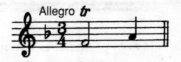

En este caso, omita la última repetición de la nota principal.

En la música de la época de Mozart el trino se comenzaba en la nota encima de la nota principal.

Ésta produce un número par de notas, que finaliza en la nota principal.

En la música posterior, el trino se intenta que comience en la nota principal. Esto da por resultado un número impar de notas en el último grupo y, por lo tanto, la escritura de un tresillo.

Para hacer una versión musical, el tresillo cae en la primera, la segunda y la tercera de las últimas cinco notas.

Por supuesto, si la nota principal está inmediatamente precedida por una nota del mismo registro, no sería musical comenzar un trino en esa nota, sino en la nota de encima, como en los tiempos anteriores.

Si el trino está inmediatamente precedido por una acciaccatura, debe considerarse que esa nota es la primera nota del trino.

Si la nota principal está prolongada, por un puntillo o una ligadura, el trino debería continuar para el valor total.

Cuando un compositor quiere que un trino finalice con un grupeto (véase página 194), escribirá la nota principal bien con su valor completo e indicará el grupeto mediante dos notas diminutas que pueden ser de cualquier valor, pero por lo general una semicorchea o una fusa; o bien mostrará las últimas dos notas de tamaño normal y restará su valor de la nota principal.

Por extenso:

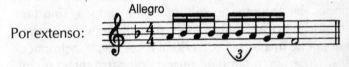

Si un grupeto se añade al final de un trino, las notas son del mismo valor y están agrupadas de la misma manera que en el trino clásico.

A menos que un grupeto esté indicado en una de las dos maneras antes señaladas, no debe introducirse grupeto alguno.

Por lo general un trino, con o sin un grupeto añadido al final, usa notas diatónicas a la tonalidad de la música.

No obstante, algunas veces para cambiar la tonalidad (modular) un compositor altera la nota superior del trino colocando un accidental por encima del signo.

por extenso:

Advierta que, en el ejemplo anterior, el trino comienza en la nota superior (la práctica normal) y, debido a la velocidad, usa semicorcheas y son sólo cuatro notas... que suenan como un grupeto de cuatro notas (véase a continuación). Este ejemplo ha permitido al compositor modular de re mayor a do mayor.

El grupeto

Las notas de un grupeto dependen en gran parte del tempo de la música con el fin de determinar su valor. Hay muchas variaciones del grupeto, no sólo en cómo se toca, sino también cuándo se toca. El giro básico para el grupeto es ∾, no obstante puede invertirse, volverlo al revés, ⊕, e incluir accidentales. Un grupeto también puede colocarse directamente encima de una nota o entre dos notas. Éstas son las variaciones que un grupeto puede tener:

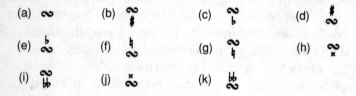

más los sostenidos, bemoles y naturales con el signo ⊕ y cada una de éstos puede escribirse encima de una nota o entre notas:

El grupeto escrito encima de una nota

Si un grupeto está escrito encima de una nota, está escrito y es interpretado como un grupo de cuatro notas en el siguiente orden:

(i) la nota encima de la nota principal;
(ii) la nota principal;
(iii) la nota debajo;
(iv) la nota principal.

Cualquier accidental escrito *encima* del signo altera la nota más alta del grupeto. Cualquier accidental escrito *debajo* del signo altera la nota inferior. Por lo demás, sólo se usan notas de la escala diatónica.

En la sonata *Köchel 279* de Mozart aparece un grupeto encima de una corchea.

 Por extenso:

Si el valor de la nota principal es una corchea o menor, el grupeto se escribe como cuatro notas iguales, la suma total de las cuales iguala el valor de la nota principal. Éste no se ve afectado por el tempo de la música.

Si la nota principal es una negra o mayor, el valor de las notas del grupeto depende del tempo de la música. En un tempo lento (menos que allegretto), el grupeto es un tresillo de fusas unidas a una nota más larga para reunir el valor de la nota principal. En un tempo rápido (allegretto o más rápido), el grupeto es cuatro semicorcheas más cualquier valor de nota necesaria para reunir el equivalente de la nota principal.

Si la nota principal es con puntillo o doble puntillo, el grupeto se escribe todavía de acuerdo con las reglas de guía general antes expuestas. El valor del puntillo se añade simplemente como una nota ligada.

Hay una excepción a lo que hemos aprendido hasta aquí. Consiste en que cuando la nota principal está seguida por una pausa... entonces, sin hacer caso del tempo, se usa un tresillo.

El *grupeto invertido*, que se representa ∿ o ⧖, se escribe de acuerdo con las reglas que hemos aprendido, pero las notas son:

  (i) la nota inferior;
 (ii) la nota principal;
(iii) la nota superior;
(iv) la nota principal.

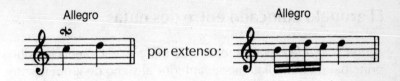

Allegro

por extenso:

Allegro

Hay una excepción para el grupeto encima de una nota que es un grupeto de cuatro notas. Si la nota principal ha sido precedida por una nota, más alta o más baja, el grupeto completo será uno de cinco notas, comenzando en la nota principal.

Allegretto

Allegretto   HAYDN

Por extenso:

En un tempo lento, cuando la nota principal es una corchea o menor, convierte cada una de las cinco notas del grupeto en un cuarto del valor de la nota principal. Para hacer que estas cinco notas igualen el valor de la nota principal es necesario convertir las primeras tres notas en un tresillo: tres notas en el tiempo de dos. Cuando la nota principal es una negra o más larga, el grupeto es cinco semicorcheas (las primeras tres de las cuales están escritas como un tresillo), la última se liga, si es necesario, a una nota o notas, para reunir el valor de la nota principal.

En allegretto o más rápido con una nota principal de una corchea o menor, escriba un cinquillo de semicorcheas, si es necesario, únalo a una nota más larga para reunir el valor de la nota principal.

El grupeto colocado entre dos notas

A una velocidad lenta, menos que allegretto: cuando la nota principal (la inmediatamente anterior al signo de grupeto) no tiene puntillo y es una negra o menor, la primera nota del grupeto deberá tener la mitad del valor de la nota principal, y el valor de las cuatro notas que quedan deberá ser una octava parte del valor de la nota principal.

Por extenso:

A velocidad rápida, allegretto o más: cuando la nota principal no tiene puntillo y el valor es una negra o menor, escriba el grupeto como un cinquillo (cinco notas en el tiempo de cuatro de la misma clase), el valor de cada nota es una cuarta parte del de la nota principal.

Por extenso:

Notas principales más largas: con una nota principal sin puntillo de valor no más largo que una negra, decida cómo pueden hacerse de cortas las últimas cuatro notas por igual (use semicorcheas si el tempo es rápido y fusas si es lento) y dé el valor que queda a la primera nota.

Notas principales con puntillo: cuando la nota principal es una nota con puntillo, debemos tener en cuenta si la totalidad o partes de los ritmos están contenidos en el ornamento.

Si la nota principal es sólo un ritmo completo, dé a la primera nota el valor de la porción sin puntillo, las otras cuatro notas toman el valor del puntillo.

Si la nota principal es dos, tres o más ritmos completos, escriba como para un ritmo completo, pero ligue el valor adicional delante del grupeto.

Por
extenso:

Cuando la nota principal contiene parte de un ritmo, divida el ritmo en tres partes. La primera y la última notas toman una tercera parte del valor del ritmo y la sección media se escribe como un tresillo.

Por extenso:

Un grupeto invertido después de una nota deberá escribirse como:

(i) la nota principal;
(ii) la nota inferior;

(iii) la nota principal;
(iv) la nota superior;
(v) la nota principal.

Los valores de las notas obedecen a las diversas reglas ya explicadas.

La corredera

Como su nombre indica, este ornamento consiste en una corredera hacia arriba o hacia abajo entre dos notas, por lo general una tercera o una cuarta aparte. Se muestra mediante notas diminutas entre las notas de tamaño normal. Los valores dados al ornamento son como para el mordente:

En ocasiones se encuentran dobles apoyaturas (dos notas pequeñas escritas como para la apoyatura normal), como en el siguiente ejemplo. La doble apoyatura debe tratarse exactamente como el mordente.

Por extenso:

Vivace

Cuando la corredera o la doble apoyatura están unidas al trino, deben incorporarse con los mismos valores de nota que el trino.

Longitud de los ornamentos

Algunos ornamentos varían de acuerdo con la indicación del tempo. Cuando no hay tal indicación, la manera de interpretar una pieza dependerá del estilo y las convenciones de la época de la composición.

Preguntas

1. (a) ¿Por qué se usa la ornamentación en música?
   (b) ¿Cómo creaban ornamentos los cantantes y los instrumentistas primitivos?
   (c) ¿Los compositores escriben los ornamentos por extenso?
2. (a) ¿En qué notación de valor debe escribirse la apoyatura?
   (b) ¿Qué valor se da a una apoyatura escrita delante de una negra en tiempo $\frac{4}{4}$?
   (c) ¿Qué valor se da a una apoyatura escrita delante de una blanca en tiempo $\frac{3}{4}$?
   (d) Escriba lo siguiente por extenso:

(i)   (ii)

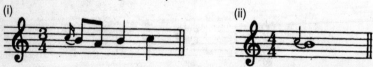

3. (a) ¿Qué valor toma la apoyatura cuando se escribe inmediatamente delante de una nota con puntillo?

(b) Escriba lo siguiente por extenso:

(i)

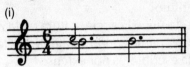

(ii)

(iii)

4. (a) ¿Qué valor toma la apoyatura cuando se escribe inmediatamente delante de una nota ligada?

(b) Escriba lo siguiente por extenso:

5. (a) ¿Cómo se escribe una apoyatura cuando precede inmediatamente a un acorde?

(b) Escriba lo siguiente como debe tocarse:

6. (a) ¿Qué es una acciaccatura? Escriba una.

   (b) ¿Cuál es el origen de «acciaccatura»?

   (c) ¿Cómo se interpreta la acciaccatura: en, antes o después del ritmo?

   (d) ¿Qué efecto tiene la acciaccatura en la nota principal?

7. (a) ¿Qué valor damos, normalmente, a la acciaccatura cuando la escribimos por extenso?

   (b) Escriba las siguientes por extenso:

8. (a) ¿Cuál es la diferencia en apariencia entre la acciaccatura y la apoyatura?

   (b) ¿De qué otra manera se diferencia la apoyatura de la acciaccatura?

9. (a) ¿Cuál es el signo y cuáles las notas de un mordente superior?

   (b) ¿Cuál es el signo y cuáles las notas de un mordente inferior?

10. (a) Con tempo más lento que allegro, ¿cómo escribimos el mordente por extenso?

    (b) ¿Cómo escribimos el mordente por extenso con tempo allegro o más rápido?

(c) Escriba lo siguiente por extenso:

(d) Abrevie lo siguiente y sugiera una indicación de tempo apropiada:

11. (a) ¿Qué es un doble mordente?

(b) Escriba signos para mostrar un doble mordente superior y un doble mordente inferior.

(c) Escriba lo siguiente por extenso:

12. (a) ¿Cómo afecta una armadura a las notas de un mordente?

(b) ¿Cómo y por qué aparecería la nota superior o inferior de un mordente superior o inferior si se altera cromáticamente?

13. (a) ¿Cuál es el otro nombre para un trino?

(b) ¿En qué consiste un trino?

(c) ¿Cómo se interpreta un trino?

(d) ¿Cómo se indica un trino?

14. (a) ¿De qué depende el número de alteraciones en un trino?

(b) ¿Qué notas de valor deberán usarse para un tempo de largo?

(c) ¿Qué notas de valor deberán usarse para un tempo de vivace?

15. (a) ¿En qué nota finaliza por lo general un trino?

(b) ¿Cuándo no finaliza un trino en esta nota?

(c) Escriba lo siguiente por extenso:

16. (a) ¿En qué nota comienza el trino en la música de Mozart y sus contemporáneos?

(b) ¿Qué es especial en cuanto al número de notas en un trino de esa época?

17. (a) ¿En qué nota comienza normalmente un trino?

(b) ¿Qué peculiaridad rítmica produce esto y por qué?

(c) ¿Dónde está escrito el tresillo?

(d) Escriba lo siguiente por éxtenso:

18. (a) Si la nota principal está precedida por una nota del mismo registro, ¿en qué nota deberá comenzar el trino? ¿Por qué?

    (b) Escriba lo siguiente por extenso:

19. (a) ¿Cómo tratamos una acciaccatura cuando precede a un trino?

    (b) Escriba lo siguiente por extenso:

20. (a) Si la nota principal está prolongada de alguna manera, ¿durante cuánto tiempo deberá continuar el trino?

208

(b) Escriba lo siguiente por extenso:

21. (a) Cite dos maneras en que un compositor indicará que quiere que un trino finalice con un grupeto.
    (b) Escriba lo siguiente por extenso:

22. (a) ¿Cómo se agrupan las notas cuando se añade un grupeto al final de un trino?
    (b) ¿Deberíamos siempre introducir grupetos no indicados por el compositor?

23. (a) ¿Qué debemos recordar cuando escribimos un grupeto al final de un trino en la sensible de una tonalidad menor?
    (b) Escriba lo siguiente por extenso:

Tonalidad: sol menor

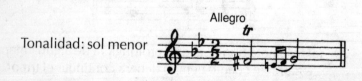

24. (a) Con o sin un grupeto, ¿cómo sabemos qué nota deberá alterarse con la nota principal para formar nuestro trino?

(b) ¿Cómo un compositor puede alterar la identidad de la nota superior de un trino?

(c) ¿Qué significa la palabra modular?

(d) Escriba lo siguiente por extenso:

(e) ¿Cuándo un trino puede sonar como un grupeto?

25. (a) Escriba tantas variaciones del grupeto como pueda recordar.

(b) Si el grupeto tiene encima un sostenido, ¿cómo afecta éste la notación?

(c) Si el grupeto tiene encima un bemol, ¿cómo afecta éste la notación?

26. (a) Si un grupeto está escrito encima de una nota, ¿cuántas notas debería contener el grupeto?

(b) ¿Qué notas se tocarían si el grupeto estuviera encima de un do?

(c) Escriba lo siguiente por extenso:

27. (a) Con una nota principal de una negra, ¿de qué depende el valor de las notas de un grupeto?

(b) ¿Cómo se forma el grupeto de una blanca en un tempo lento?

(c) ¿Cómo se forma el grupeto de una blanca en un tempo rápido?

(d) Escriba lo siguiente por extenso:

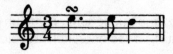

28. Escriba lo siguiente por extenso:

29. Escriba lo siguiente por extenso:

30. Escriba lo siguiente por extenso:

31. Escriba lo siguiente por extenso:

32. (a) ¿Cuántas notas están contenidas en un grupeto escrito después de la nota principal?

(b) En un grupeto así, ¿de qué depende el valor de la nota?

(c) Escriba lo siguiente por extenso:

33. (a) Si una nota principal es más larga que una negra y está sin puntillo, y el tempo es rápido, ¿qué valores de nota deberían darse al grupeto?

(b) Si una nota principal es más larga que una negra y está sin puntillo, y el tempo es lento, ¿qué valores de nota deberían darse al grupeto?

(c) Escriba lo siguiente por extenso:

(i)   Andante
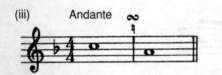

(ii)   Vivace
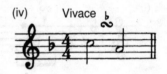

(iii)   Andante

(iv)   Vivace

34. (a) ¿Qué debemos tener en cuenta cuando la nota principal de un grupeto está con puntillo?

(b) Abrevie lo siguiente:

(i)

(ii)

(iii)

(c) ¿Cómo debemos divivir el ritmo cuando la nota principal contiene parte de un ritmo?

(d) Escriba lo siguiente por extenso:

(i)

(ii) Adagio

(iii) Allegro assai

35. (a) ¿Cómo debemos proceder a escribir un grupeto de nota principal con doble puntillo?

(b) Escriba lo siguiente por extenso:

Adagio

36. Escriba lo siguiente por extenso:

Allegro
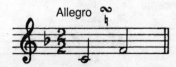

37. (a) ¿Qué es una corredera?
    (b) ¿Cómo se muestra?
    (c) ¿Qué valores de notas deberíamos usar para la corre-
    dera?
    (d) Escriba lo siguiente por extenso:

(i)

(ii)

38. (a) ¿Cuál es el signo para una doble apoyatura?
    (b) ¿Qué valor damos a las notas de este ornamento?
    (c) Escriba lo siguiente por extenso:

(i)

(ii)

39. (a) ¿Cómo debería tratarse la corredera, o la doble apoyatura, cuando preceden a un trino?
    (b) Escriba lo siguiente por extenso:

40. En ausencia de una indicación de tempo, ¿qué nos guía en la decisión de cómo interpretar y escribir ornamentos que por lo general son distintos según el tempo?

41. Escriba los siguientes ornamentos por extenso:

(i)

(ii)

(ii)

(iv)

(v) Moderato

(vi) Allegretto

XIII
otras escalas y abreviaturas usadas en música

Modos

La escala mayor de do es simplemente las notas de piano blancas do, re, mi, fa, sol, la, si, do. Si empezamos en otra nota blanca, si, por ejemplo, y usamos sólo notas blancas para escribir nuestra escala, produciremos un modelo diferente de tonos y semitonos: si a do es un semitono, do a re un tono, re a mi un tono, etc.

Hace muchos siglos los músicos solían componer música que se ajustara a estos modelos de tonos y semitonos. Usaban escalas que llamaban *modos*. Había siete modos básicos:

eólico	– TST TSTT	– como las notas blancas la a la;
locrio	– STT STTT	– como las notas blancas si a si;
jónico	– TTS TTTS	– como las notas blancas do a do (que no es nuestra escala mayor);
dórico	– TST TTST	– como las notas blancas re a re;
frigio	– STT TSTT	– como las notas blancas mi a mi;
mixolidio	– TTS TTST	– como las notas blancas sol a sol.

A éstos se añaden aquellos que tienen el mismo modelo de tonos y semitonos, pero que comenzaron en una nota diferente. Todas nuestras escalas son modos jónicos, pero comienzan en diferentes notas. «Hipo-» colocado delante del nombre de un modo significa el mismo modelo de tonos y semitonos cinco notas más alto. El modo hipoeólico, por ejemplo, tenía el mismo modelo de tonos y semitonos que el eólico (la a la), pero comienza en mi. Las notas son mi, fa ♯, sol, la, si ♭, do, re, mi.

Estos modos alterados dan origen a la necesidad de las notas fa ♯ y si ♭ y, por lo tanto, también los signos para sostenido y bemol.

Signos y abreviaturas

El comienzo de la ópera y la impresión de música en Italia en el siglo xvi, y la principal importancia de este país en esa época, nos ha dejado muchas palabras en italiano que todavía usamos para describir la velocidad, y otras maneras de tocar nuestra música. La música escrita en los últimos doscientos años ha usado cada vez más la lengua del país de origen del compositor para dar estas instrucciones.

Los puntos colocados inmediatamente antes o después de una doble barra de compás indican repeticiones.

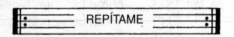

Algunos compositores escriben los números 1 y 2 encerrados dentro de líneas encima de los pentagramas al final de una sección de movimiento.

Beethoven *Op. 2 N.º 3*

El 1 indica que, en la primera interpretación, el compás debe tocarse. En la repetición, el compás marcado 1 se omite y el compás 2 se sustituye. Como verá en los ejemplos dados, lleva la música a la sección siguiente.

∧ > acentos

Si queremos mostrar un acento en la música, no escribimos letras, usamos estos signos encima de las notas que han de acentuarse.

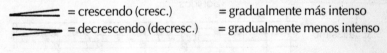

= crescendo (cresc.) = gradualmente más intenso
= decrescendo (decresc.) = gradualmente menos intenso

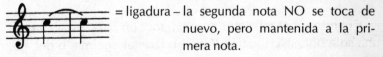

= ligadura – la segunda nota NO se toca de nuevo, pero mantenida a la primera nota.

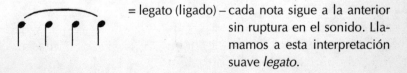

= legato (ligado) – cada nota sigue a la anterior sin ruptura en el sonido. Llamamos a esta interpretación suave *legato*.

Staccato – corto y separado. Se indica por medio de puntillos encima, o debajo, de la cabeza de la nota. Acorta a la
mitad la nota.

Algunas veces el staccato es demasiado corto para indicar
las intenciones de un compositor, en cuyo caso, usa los puntos de staccato, pero cubre las notas con una ligadura de
legato. Éste se llama *mezzo*, o medio, staccato. Acorta un
cuarto la nota.

Staccatissimo – más corto que el staccato y se muestra
mediante una pequeña forma triangular o una línea vertical
encima o debajo de la(s) nota(s). Acorta en tres cuartos el
valor de la nota.

Cuando un compositor quiere hacer un mezzostaccato de
una sola nota escribe una línea horizontal encima, o debajo,
del punto de staccato.

⌢ o ‿   Calderón (italiano = fermata) – se usa cuando una nota, o grupo de notas, debe ser sostenida por una pausa en la música. El signo se escribe de manera que el punto esté más cerca de la cabeza de la nota.

Algunas veces este signo no se escribe encima ni debajo de las notas, sino al final de una pieza o sección de una pieza.

Esto a menudo significa que el intérprete deberá esperar unos pocos segundos antes de comenzar la siguiente sección o repetir. En la música de piano algunas veces significa decir al pianista que mantenga sus manos encima de las teclas durante unos segundos al final de la música para no alterar, al moverse con demasiada rapidez, el efecto que ha creado mediante su interpretación.

8 - - - - - - -¬ = encima de las notas significa tocarla una
      o   octava más alta que lo escrito. También
8.ᵃ - - - - - -¬   puede aparecer con una línea sólida.
8 - - - - - - -⌐ = debajo de las notas, toque una octava más
      o   baja que lo escrito.
8.ᵃ - - - - - -⌐   la línea vertical indica cuándo detenerse.

= repita el compás anterior.

= a menudo usado para indicar repetición de las notas previas en el mismo compás.

se toca

m.d. (francés: main droite) = mano derecha

m.g. (francés: main gauche) = mano izquierda

$\widehat{2}$	Dosillo	$\widehat{3}$	Tresillo
$\widehat{4}$	Cuatrillo	$\widehat{5}$	Cinquillo
$\widehat{6}$	Seisillo	$\widehat{7}$	Septillo

pp	= pianissimo	= muy suave
p	= piano	= suave
mp	= mezzopiano	= bastante suave, moderadamente suave
mf	= mezzoforte	= bastante fuerte, moderadamente fuerte
f	= forte	= fuerte
ff	= fortissimo	= muy fuerte
∧ o >	= un acento	= un énfasis repentino en el tono en esa nota o acorde
fz	= forzando	= un repentino forzado del sonido
sfz	= sforzando	= un repentino forzado del tono
accel.	= accelerando	= cada vez más rápido
cresc.	= crescendo	= cada vez más intenso
dim.	= diminuendo	= cada vez menos intenso
Ped.	= pedal	= use el pedal derecho (de sostenido) del piano. Apretar y soltar a menudo se marcan mediante líneas; así: ⌐_____⌐ o Ped.........*
rall.	= rallentando	= haciéndose gradualmente más lento
rit.	= ritardando	= haciéndose gradualmente más lento
D.C.	= da capo	= repetir desde el comienzo

Fine		= final. Da capo al fine: repetir desde el comienzo hasta la palabra *fine*.
segno	= signo	= por lo general como un signo 𝄋 y usado con las palabras dal (que significa «desde») o al (que significa «al»): de modo que la dirección es desde, o al, signo.
arpegio		– éste se muestra por lo general mediante una línea ondulada impresa verticalmente delante de las notas a ser tocadas como un arpegio. El efecto es que, al comenzar en el ritmo, se toca cada nota desde la más baja hasta la más alta, una después de la otra. Aquí hay un ejemplo de su uso:

Algunas veces el compositor no usará una línea ondulada para indicar su deseo de un arpegio, sino que escribirá diminutas notas delante del acorde. Esto se trata exactamente como se describió antes, tanto al tocarlo como, si es necesario, al escribir el arpegio por extenso.

Beethoven *Op. 10 N.º 1 Sonata 3.ᵉʳ mov.*

tocado...

trémolo — en un instrumento de cuerda tocado con un arco hace referencia a la técnica de repeticiones rápidas del mismo tono mediante un movimiento hacia arriba y hacia abajo con el arco. En instrumentos de registro fijo, como el piano, el trémolo se hace mediante alteración rápida entre dos notas. Las dos notas que se van a tocar tienen escrito cada una el valor completo del compás. Entre las notas hay escritas vírgulas que equivalen en valor a la cantidad de repeticiones que se pretenden.

ABREVIATURA   POR EXTENSO

Aquí, las dos notas que se van a tocar –la y re– tienen cada una el valor completo del compás, cada una una blanca. Entre las notas hay escritas vírgulas de semicorcheas que muestran la cantidad de repeticiones que se pretenden, valoradas de acuerdo con la armadura, que es dos ritmos de negra. Hay ocho semicorcheas en un compás de (figura), de modo que en el ejemplo anterior debe haber ocho notas para ser alternadas. Deben mostrarse en grupos de negras porque la signatura de compás es un ritmo de negra.

También se puede escribir una abreviatura para mostrar las repeticiones de notas solas del mismo registro. Esto se hace escribiendo una nota equivalente al valor de las repeticiones deseadas y mostrando el valor de las repeticiones mediante vírgulas, como a continuación.

Cambio enarmónico – un cambio sólo en el nombre. Por ejemplo, si puede llamarse do ♭, o puede llamarse la ✕, pero estos nombres son sólo cambios enarmónicos de nombre. El registro sigue siendo el de la nota si.

Los cambios enarmónicos de do son si ♯ y re ♭♭

Los cambios enarmónicos de re son do ✕ y mi ♭♭;

y así por todas partes de la octava entera de la escala.

Este recurso es útil para los compositores cuando desean modular de una tonalidad a otra. Pueden pivotar en una nota, cambiando el nombre de esa nota al equivalente en la nueva tonalidad. Véase cómo mi ♭ se convierte en un re ♯.

Términos musicales

Los siguientes términos deberían ser comprendidos y memorizados:

adagietto = bastante lentamente
adagio = lento
ad libitum = a gusto del intérprete
affrettando = apretando, apresurando la velocidad
allargando = más lento y más extenso
allegramente = rápidamente, alegremente
allegretto = bastante rápido, pero no tanto como el allegro
allegro = rápido
andante = paso de andar. Indica un paso pausado.
andantino = a paso moderado, más rápido que el andante
a piacere = a gusto del intérprete
a tempo = volver al tiempo original (por lo general después de alguna alteración de tempo para indicar un regreso al tiempo original o normal)
ben = bien
bis = dos veces. En ocasiones cuando sólo uno o dos compases se repiten, una repetición de ellos se indica así.

calando	= menos intenso y más lento
calcando	= apresurando el tiempo
cantabile	= a manera de canto
celere	= rápido, ágil
con	= con, por lo general parte de una dirección:

con anima	= con alma
con fuocco	= con fuego
con tenerezza	= con ternura

diluendo	= desvaneciéndose
dolce	= dulce
doppio tempo	= dos veces tan rápido como el movimiento precedente
doppio movimento	= dos veces tan rápido como el movimiento precedente
giusto	= exacto, preciso (tempo giusto = en tiempo preciso)
grave	= solemne y lento
incalzando	= más rápido y con más intensidad
largamente	= amplia, imponentemente
larghetto	= bastante ampliamente
largo	= ampliamente
larghissmo	= muy amplio
lentamente	= bastante lentamente
l'istesso tempo	= la misma velocidad que el movimiento precedente
mancando	= delibitándose o disminuyendo en el tono
meno	= menos, por lo general parte de una dirección:

meno allegro	= menos rápido
meno mosso	= menos movimiento
meno forte	= menos intensamente

metronome	= instrumento de relojería que en

1816 inventó un hombre llamado Maelzel con el fin de ayudar a mantener el tiempo exacto.

moderato	= moderadamente rápido
morendo	= muriendo
perdendosi	= perdiéndose, muriéndose
pesante	= pesadamente, con énfasis
più	= más, por lo general parte de una dirección:

più lento	= más mento
più piano	= más suave
più mosso	= más movimiento

poco a poco	= poco a poco
presto	= muy rápido
prestissimo	= tan rápido como sea posible
prestissamente	= tan rápido como sea posible
raddolcendo	= gradualmente más suave
rinforzando	= haciendo más fuerte el tono
ritenuto	= retenido
scemando	= disminuyendo en fuerza
senza	= sin
senza sordini	= sin sordina (música de cuerda o bronce)
slargando	= ampliando
slentando	= gradualmente más lento
smorzando	= desvaneciendo el tono
stretto	= apretando, apresurando la velocidad
stringendo	= gradualmente más rápido, apresurando la velocidad
tempo ordinario	= tiempo corriente
tempo commodo	= a una velocidad conveniente
tempo giusto	= en el tiempo preciso o exacto
tempo primo	= misma velocidad que en el primero
tosto	= deprisa, rápidamente

troppo	= demasiado
veloce	= rápidamente
vivace	= animado
vivacemente	= bastante animado
vivacissimo	= extremadamente animado

Nombres extranjeros de las notas

Los compositores algunas veces usan, en los títulos de sus piezas, la tonalidad de la música (for ejemplo: *Toccata, Adagio und Fuge in C dur BWV 564* de Bach). Por supuesto, ellos escriben en su propia lengua.

Estaría bien aprender lo siguiente. Observe que los alemanes llaman al si ♭: B, y al si ♮: H. Este hecho permitió a los compositores usar como tema para algunas obras las notas si♭, la, do, si, las letras alemanas que forman BACH.

Español	Alemán	Italiano
la♭	As	la bemolle
la	A	la
la♯	Ais	la diesis
si♭	B	si bemolle
si	H	si
si♯	His	si diesis
do♭	Ces	do bemolle
do	C	do
do♯	Cis	do diesis
re♭	Des	re bemolle
re	D	re
re♯	Dis	re diesis
mi♭	Es	mi bemolle
mi	E	mi
mi♯	Eis	mi diesis

Español	Alemán	Italiano
fa♭	Fes	fa bemolle
fa	F	fa
fa♯	Fis	fa diesis
sol♭	Ges	sol bemolle
sol	G	sol
sol♯	Gis	sol diesis

En francés es lo mismo que en italiano, excepto que do es ut, bemolle se escribe *bémol* y diesis se escribe *diese*.

Las palabras mayor y menor en las diferentes lenguas deberían conocerse. Son:

Español	Alemán	Italiano	Francés
mayor	Dur	maggiore	majeur
menor	Moll	minore	mineur

Aquí hay algunas palabras italianas más que usamos para mostrar maneras de tocar música. Un montón de música ha sido escrita por compositores alemanes, que han utilizado su propia lengua para dar estas indicaciones. Por lo tanto, hemos dado el equivalente alemán de cada palabra.

Italiano	Español	Alemán
affeto	afecto	gemütvoll
affettuoso	afectuoso	gemütvoll
agitato	agitado	aufgeregt
allegretto	bastante rápido	ziemlich lebhaft
amabile	amable	liebenswürdig
amoroso	amoroso, tierno	lieblich
animato	animado	belebt
appassionato	apasionado	leidenschaftlich
arpeggio	como de arpa	arpeggio
assai	mucho	sehr

Italiano	Español	Alemán
attacca	atáquese inmediatamente	weitergehen
brillante	brillante	glänzend
brio (con)	con brío	lebhaftigkeit (mit)
calmato	tranquilo	beruhigt
capriccio	capricho	laune
coda	cola (la parte final)	schluss
con	con	mit
corda, una	una cuerda (use el pedal izquierdo del piano)	mit einer saite
deciso	deciso	entschieden
delicato	delicado	fein, zart
distinto	distinto	deutlich
dolore (con)	con dolor	schmerzlich
doloroso	doloroso	schmerzlich
doppio	doble	doppelt
energico	enérgico	energisch
eroica	heroica	heldenhaft
espressione (con)	con expresión	mit ausdruck
espressivo	expresivo	mit ausdruck
feroce	feroz	wild
fine	final	Ende
forza (con)	con fuerza	stark, laut
funebre	fúnebre, triste	trauernd
furioso	furioso	wütend
giocoso	jocoso, humorístico	speilend, scherzend
grandioso	grandioso	grossartig
impetuoso	impetuoso	wild
incalzando	más rápido y con más intensidad	jagend

Italiano	Español	Alemán
innocente	inocente	unschuldig
legatissimo	muy suavemente	sehr gebunden
legato	suavemente	gebunden
leggiero	ligero	leicht
lento	lento	langsam
loco	registro original	am platze
lusingando	mimando	einschmeichelnd
ma	pero	aber
maestoso	majestuoso	majestätisch
marcato	marcado	betont
marcia	marcha	marsch
martellato	martilleada	gehämmert
marziale	marcial, belicoso	kriegerisch
mesto	triste	traurig
mezzo	medio	halb
misterioso	misterioso	geheimnisvoll
non	no	nicht
Ongarese	húngaro	Ungarisch
ossia	o	oder
ottave	octava	oktave
parlando	hablando	sprechend
passione	pasión	leidenschaft
piacevole	placentero	anmutig
quasi	como si	gleichwie
risoluto	resuelto, enérgico	entschlossen
risvegliato	muy animado	frisch
semplice	sencillo	einfach
sempre	siempre	immer
sopra	arriba, encima	oben, uber
sotto	bajo, debajo	unten
strepitoso	bullicioso	lärmend
subito	repentinamente	plötzlich
teneramente	tiernamente	zart

Italiano	Español	Alemán
tenerezza	ternura	zart
tenuto	mantenido	ausgehalten
tranquilo	tranquilo	ruhig
tre	tres	drei
trionfante	triunfante	triumphierend
troppo	demasiado	zu viel
un (uno, una)	uno	ein
vigoroso	vigoroso	energisch
voce	voz	stimme

Una corda es una indicación dada a un pianista para que use el pedal izquierdo. En un piano de cola éste mueve el teclado de manera que los martillos no golpean todas las cuerdas. Hoy en día se golpean dos cuerdas en lugar de tres (tre corde). Originalmente solía golpearse una cuerda (una corda). El efecto es hacer el sonido más suave. Esto se logra en un piano vertical por medio de alterar la distancia que el martillo recorre.

Algunos compositores franceses han usado indicaciones en su propia lengua. La siguiente puede ser una lista útil para conocerlas.

animé	animado
au mouvement	en tiempo
calme	tranquilo
cédez	ceder (ritenuto)
doucement	dulcemente
doux	dulce
en aimant	de manera animada
en dehors	prominente
en retenant	retenido
et	y
expressif	expresivamente

folatre	alegremente
jusqu'à la fin	hasta el final
léger	ligero
lentement	lento
lointain	distante
lourdement	pesadamente
modéré	moderado
moins	menos
mouvement	tempo, movimiento
murmuré	murmurar
peu à peu	poco a poco
plus	más
retenu	retenido
sans rigueur	sin rigidez
souple	suave, flexible
très	muy
triste	triste
vif	animado
vite	rápido

Preguntas

1. (a) ¿Qué nombre usamos para describir los otros modelos de tonos y semitonos, aparte de las escalas mayor y menor?
   (b) Haga una lista de estos modelos y descríbalos.
2. (a) ¿Con qué otro nombre podemos describir la escala mayor?
   (b) ¿Qué significa el prefijo «hipo-»?
   (c) Escriba, comenzando cada una en una nota apropiada, los siguientes modelos:
   (i) TST, TTST
   (ii) TST, TSTT
   (iii) TTS, TTST
   y nombre cada modelo.

3. ¿Cuál es la diferencia entre una ligadura y un ligado?
4. (a) ¿Qué significa staccato?
   (b) ¿Qué significa legato?
   (c) ¿Qué significa mezzostaccato?
   (d) ¿Qué significa staccatissimo?
   (e) Escriba éstos como deberían sonar:

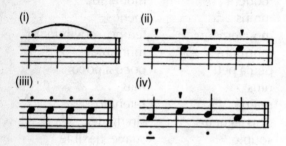

5. (a) ¿Cómo llamamos a este signo: ⌢ ?
   (b) ¿Cuál es la palabra italiana para este signo?
   (c) ¿Dónde y por qué se usaría?
6. (a) ¿Qué hacen los puntos inmediatamente antes o después de una doble barra de compás? Escriba un ejemplo.
   (b) ¿Por qué a menudo se repite la parte del principio de una composición?
7. ¿Cómo muestran los compositores algunas veces una variación en el compás o los compases finales de una sección o movimiento?
8. Escriba las siguientes abreviaturas por extenso:

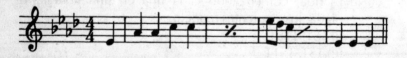

9. (a) Dé la palabra italiana para:

poco a poco — sin
más lento y más extenso — muy fuerte
demasiado — pesadamente
exacto — dulce
tranquilo

(b) Dé la palabra española para:

adagio — cantabile — incalzando
meno — da capo al fine — segno
grave — perdendosi — $8 - - - - - - ¬$

(c) Dé la palabra italiana por extenso y el significado de:

ff — sfz — decresc. — rit.
dim. — mp — < — accel.
bis.

10. (a) ¿Qué es un arpegio?

(b) En una escala de sol escriba las notas negras do, mi, sol, do como un arpegio y luego, después de una doble barra de compás, escriba el arpegio por extenso.

(c) Escriba lo siguiente por extenso:

(vi)

11. (a) ¿Qué es un trémolo?
    (b) ¿Cómo se toca un trémolo en un instrumento como el violín?
    (c) ¿Cómo se toca un trémolo en un instrumento como el pianoforte?
    (d) Escriba las siguientes abreviaturas en extenso:

(e) Abrevie lo siguiente:

12. (a) Escriba lo siguiente por extenso:

(i)   (ii)

(b) Abrevie lo siguiente:

(i)

(ii)

13. Dé los significados en español de lo siguiente:

adagietto	prestissimo	lentamente
raddolcendo	slargando	affrettando
smorzando	tempo commodo	doppio movimento
tosto	scemando	veloce
celere	a piacere	mancando
metronome		

14. Complete lo siguiente:

Español	Francés	Alemán	Italiano
			La bemolle
sol #			
	ut bémol		
		A	

Español	Francés	Alemán	Italiano
			re deisis
	la		
re ♭			
		His	
la ♯			
			mi bemolle
	si		
si ♭			
		Eis	
			re

15. Complete lo siguiente:

Español	Francés	Alemán	Italiano
		Dur	
	mineur		

16. Complete lo siguiente:

Francés	Alemán	Italiano
	gemütvoll	
bastante rápido		

Francés	Alemán	Italiano
	liebenswürdig	
amoroso, tierno		
		animato
	leidenschaftlich	
		assai
	weitergehen	
brillante		
		con
	deutlich	
final		
	gebunden	
		leggiero
lento		
	traurig	
		mezzo
hablando		
		semplice
como si		

Francés	Álemán	Italiano
	immer	
bajo		
		sopra
	plötzlich	
mantenido		
	drei	
		troppo
uno		
	stimme	

17. (a) ¿Qué sucede cuando apretamos el pedal izquierdo de un piano de cola?
    (b) ¿Cuál es el significado original de una corda?
18. Dé las palabras francesas para:

hasta el final	muy	animado
poco a poco	retenido	dulcemente
rápido	moderado	ligero
prominente	lento	pesadamente
triste		

índice

I
Registro

II
Ritmo

III
Más acerca de la notación

IV
Escalas y tonalidades

V
Tríadas

VI
Ritmos más avanzados

VII
Armonía

VIII
Escritura vocal y de las partes

IX
Transporte

X
Ritmos con palabras

XI
Fraseo

XII
Ornamentación

XIII
Otras escalas y abreviaturas usadas en música

Aprende y practica

Walter G. Gibson

Los NUDOS

Cómo hacer y deshacer nudos para todo tipo de finalidades de manera rápida y fácil

Un compendio de técnicas que le permitirán realizar desde los nudos más sencillos hasta los lazos y nudos decorativos más complejos.

A todos nos han enseñado desde niños a hacer sencillos nudos para salir al paso en el día a día, pero quizás deberíamos recordar la cantidad de ocasiones en las que hemos tropezado por culpa de un cordón de zapato mal anudado, hemos pasado un mal rato con los nudos de nuestra tienda de acampada o hemos tenido noticia de algún accidente producido por un andamio mal sujeto. Es evidente que casi todo el mundo sabe hacer nudos, pero casi nadie sabe hacerlos bien.

- Qué diferencia un nudo de una vuelta de un cabo o un ayuste.
- Cómo aprender a hacer nudos simples y dobles.
- Qué son y para que sirven las lazadas y lazos corredizos.
- Cuando conviene hacer un acortamiento.
- Nudos ornamentales y decorativos.

Ilustrado

160 juegos de alto nivel que le permitirán convertirse en una persona de ingenio agudo y brillante inteligencia.

El ingenio, como indica el título de esta obra, es una capacidad que no sólo se refiere al grado cultural o social, sino que apela a la intuición y al talento natural. Prestigiosos miembros del Club Mensa, una institución internacional a la que sólo pueden pertenecer personas que posean un coeficiente intelectual de 148 o superior, han seleccionado los juegos que le permitirán ejercitar y desarrollar todo el potencial oculto de su intelecto, con el objetivo de hacer de usted una persona más brillante, ingeniosa y aguda.

- Juegos para mejorar su capacidad de visualización espacial.
- Ejercicios para relacionar el desplazamiento de figuras en el espacio.
- Establecer relaciones de causa-efecto para crear figuras geométricas.
- Aplicar la lógica racional para encontrar el elemento extraño dentro de una serie.

Ilustrado

Diviértase con ejercicios que potenciarán y educarán su coeficiente intelectual.

Aprende y practica

Ken Russell y Philip Carter

Juegos de ingenio

ROMPECABEZAS DE FIGURAS GEOMETRICAS
Diviértase con ejercicios que potenciarán y educarán su coeficiente intelectual seleccionados del famoso Club Mensa

Aprende y practica

Aprende y practica

Una obra pensada especialmente para descubrir, desarrollar y fomentar la capacidad intelectual, la intuición y los reflejos mentales. La mente no es una facultad estática e inamovible, está ampliamente demostrado que puede potenciarse mediante el entrenamiento o, por el contrario, permanecer inactiva y como adormecida por la falta de uso. Esta obra contiene más de doscientos rompecabezas que pondrán a prueba todas sus habilidades lingüísticas, su capacidad de razonamiento lógico y sus técnicas de deducción de forma agradable y divertida.

ISBN: 84-7927-287-2

Todos los secretos para dominar el arte de la animación. En las páginas de este libro se resumen los interesantes trucos del oficio y útiles conocimientos generales para desvelar los misterios de las viñetas, las tiras cómicas y la creación de los books. Una herramienta utilísima tanto para los dibujantes en ciernes como para los más experimentados. Además se ofrecen datos muy útiles sobre la presentación de los trabajos y cómo y dónde venderlos.

ISBN: 84-7927-326-7

Una guía imprescindible para comprender e interpretar los fenómenos atmosféricos: las nubes, la dirección de los vientos, las previsiones y boletines meteorológicos.

■ Conocer los ciclos solares y las fases lunares.
■ Diferenciar los tipos de vientos y nubes, así como los distintos fenómenos atmosféricos: precipitaciones, smog, ventisca, tolvanera...
■ Interpretar un mapa meteorológico y sus diferentes símbolos.
■ Consejos prácticos para aprender a predecir la evolución del tiempo.

ISBN: 84-7927-329-1

El mejor manual para quienes prefieren cámaras compactas y automáticas.

■ Los diferentes tipos de cámaras y película, atendiendo a las necesidades particulares.

■ Nociones básicas de técnicas y composición.

■ Las fotografías de sus vacaciones: consiga un álbum inolvidable de sus viajes.

■ Aprenda a solucionar los problemas mecánicos de la cámara.

■ El apasionante mundo de la fotografía digital.

ISBN: 84-7927-313-5

Cómo puede establecer una excelente relació con su pareja a través de la comunicació fluida y sincera.

■ Cómo reconocer los problemas que crean incomunicación en la pareja.

■ Fórmulas sencillas para reducir la tensió cuando la relación pasa por un mal momen

■ Cómo afectan a la pareja la excesiva dedi ción al trabajo o la falta de tiempo libre.

ISBN: 84-7927-319-4

Un compendio de ideas para conocer los problemas escolares de nuestros hijos y ayudarles más eficazmente en sus estudios.

■ Cómo establecer una buena comunicación con los profesores de nuestros hijos.

■ Las preguntas de los padres a la hora de ayudar a los hijos con los deberes.

■ La importancia de encontrar el tiempo necesario para resolver sus dudas y problemas.

■ Fórmulas para aprender a distribuir el tiempo libre entre estudios, juegos, televisión y lecturas.

ISBN: 84-7927-320-8

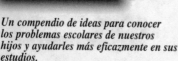